KB096259

브램 스토커
고딕 호러 단편선

♥오탈자, 번역 수정에 관한 제안은 arahanbook@naver.com으로 보내주시면 검토 후 반영하겠습니다.

바톤핑크 고딕 문학 총서 012

브램 스토커

Bram Stoker

고딕 호러 단편선

미스터고딕 정진영 옮김

아라한

브램 스토커

차례

Burial of the Rats

I

파리에서 오를레앙 도로를 따라가다 성벽을 지나 오른쪽으로 들어서면 조금은 황량하고 전혀 쾌적하지 않은 지역에 들어선다. 전후좌우 사방 어디를 봐도 시간에 덧쌓인 거대한 오물과 쓰레기 더미가 솟아 있다.

낮과 마찬가지로 밤에도 활력이 넘치는 파리에서 리볼리나 생토노레에 있는 호텔에 밤늦게 들어서거나 새벽에 나가는 여행객이라면, 몽루주에 가까워질수록 (설령 아직 가보지 않았다 하더라도) 바퀴에 솥을 올려놓은 듯한 커다란 짐마차들이 어디에나 멈춰 서 있는 이유를 짐작할 수 있다.

어느 도시든 각각의 필요에 의해 만들어진 독특한 명물이 있기 마련이다. 파리에서 가장 유명한 명물 중 하나는 넝마주이다. 이른 아침이면—파리 토박이들은 아침 일찍 일과를 시작하는데—골목과 샛길 등 거의 모든 거리에서 (뉴욕의 일부 지역을 비롯해 미국의 몇몇 도시에선 지금도 그러듯이) 몇 집 걸러 길 맞은편에 놓여있는 커다란 나무 상자를 보게 될 것이다. 가정집이나 셋집 건물주들이 전날 쌓인 쓰레기를 그 상자에 비운다. 상자를 순례하는 일과가 끝난 뒤, 추레하고 굶주린 표정의 남자와 여자들은 노동판과 목장이라는 새 목표지로 향한다. 그들은 조잡한 넝마나 바구니를 어깨에 짊어지고 작은 갈퀴로 쓰레기통을 꼼꼼히 뒤집어본다. 갈퀴를 써서 눈에 띄는 것은 무엇이든 바구니 속에 집어넣는데, 중국인이 젓가락을 능숙하게 사용하는 모습과 꼭 닮았다.

파리는 중앙 집중화된 도시이며, 집중화와 분류는 긴밀한 관련이 있다. 집중화가 기정사실이 되기에 앞선 징조가 분류다. 유사한 것들을 한데 묶고, 그 묶은 것을 묶음으로써 하나의 전체 또는 구심점이 생긴다. 무수한 촉수가 달린 아주 기다란 팔이 사방으로 뻗어 있는데, 그 한복판에 솟아 있는 거대한 머리엔 이해력 있는 두뇌와 사방을 바라보는 예리한 눈이 있다. 또 귀는 소리에 민감하고, 탐욕스러운 아가리는 집어삼킬 듯이 벌어져 있다.

다른 도시들은, 식욕과 소화력이 보통 수준인 새와 짐승, 물고기를 닮았다. 파리만 유독 문어의 이상적인 식욕과 소화력을 닮아 있다. 집중화의 결과는 극단적이며, 이것을 아귀로 설명

해도 될 정도다. 파리의 소화 기관만큼은 아귀와 기막힐 정도로 닮아 있다.(아귀는 소화력이 매우 강하여, 조기, 병어, 도미, 오징어 따위를 통째로 삼키고 완전히 용해시켜 소화한다고 함―옮긴이)

파리에서 사흘 동안 요리사 선생의 손에 놀아난, 지적인 관광객들은 런던에서 6실링 정도 하는 식사가 팔레루아얄의 카페에서는 3프랑이라는 사실에 당혹감을 느끼는 일이 잦다. 그러나 파리 시민이 분류에 있어서 이론상 전문가임을 감안하고, 넝마주이도 그들만의 방식이 있다는 사실을 받아들인다면 더 이상 의구심은 들지 않을 것이다.

1850년의 파리는 지금의 파리와는 달랐다. 나폴레옹과 오스만 남작(파리의 도시 미화, 도로 계획 등을 추진한 프랑스 행정관―옮긴이) 시절의 파리를 본 사람들은 45년 전에 있던 것을 찾아내기 힘들 것이다.

그러나 쓰레기가 모이는 지역들은 그나마 변화가 없는 편이다. 전 세계 어디서나 시대를 막론하고 쓰레기는 쓰레기고, 쓰레기 더미의 종류도 역시 완벽할 정도로 비슷하다. 그렇다보니 몽루주 주변을 가본 여행객들은 힘들이지 않고 1850년을 상상할 수 있다.

그 해 나는 파리에서 장기 체류 중이었다. 나는 어느 아가씨와 열렬한 사랑에 빠져 있었다. 그녀도 내 열정을 받아들였지만, 부모의 요청에 못 이겨 결국에는 일 년 동안 나를 만나거나 편지를 않겠다고 맹세해야 했다. 나도 그녀 양친의 승낙이 있을지 모른다는 막연한 희망 속에서 그 조건을 받아들일 수밖에 없었다. 일년의 유예 기간이 끝나기까지, 나는 마을에서 떠날 것이고 연인에게 절대 편지를 쓰지 않겠다고 약속했다.

정말 혹독한 시간이었다. 내게는 알리스의 소식을 전해줄 가족이나 지인이 없었고, 유감스럽게도 알리스 가족에게는 그녀가 건강하게 잘 지내고 있는지 내게 몇 마디 안부나마 전해줄 정도의 아량이 없었다. 나는 유럽을 떠돌며 여섯 달을 보냈지만 여행에서도 좀처럼 마음의 안정을 찾지 못한 채, 혹시 약속한 날이 오기 전에 운 좋게 부름이라도 받는다면, 런던에서 가까운 곳이 나을 것 같아 파리에 있기로 했다. "유예된 희망에 시름은 깊어간다"는 말이 내 경험에서만큼 극명하게 드러난 예도 없을 것이다. 사랑하는 연인을 보고픈 끝없는 갈망뿐 아니라, 알리스의 신뢰와 내 사랑으로 오랜 유예 기간을 견딘 후에도 행여 어떤 사고 때문에 그녀를 못 보는 것은 아닐까, 늘 노심초사해야 했다. 그래서 내가 겪은 일 하나하나마다 그 자체로 격한 즐거움이 있었다. 내 모험은 일상에 비해서 무슨 일이든 벌어질 가능성으로 가득했기 때문이다.

여느 여행객처럼 나는 처음 한 달 동안 파리에서 가장 흥미로운 장소들을 부지런히 섭렵했다. 둘째 달에는 즐거움이 있는 곳이면 어디든 찾아다녔다. 잘 알려진 교외 지역을 여러 번 오가면서 적어도 여행 안내책자에는 안 나오는, 미지의 땅들이 매혹적인 곳곳에 사회적 황무지로 남아 있음을 알게 되었다. 그래서 체계적으로 조사하기 시작했는데, 전날 들렀던 지점에서 다시 탐사를 이어가는 식이었다.

그 과정에서 몽루주 인근에 다다랐는데, 그곳에서 탐험의 끝이자 백나일 강(아프리카 북동부를 흐르는 나일 강의 2대 지류 중 하나―옮긴이)의 수원(水源)처럼 거의 알려지지 않은 장소를 발견했다. 그때부터 넝마주이의 거주지와 그들의 삶, 생계 수단에 대해 깊숙이 파고들기로 마음먹었다.

그것은 고약한데다 쉽게 할 수 있는 일이 아니고, 적절한 보상을 기대하기도 어려웠다. 그러나 주변의 이성적이고 완고한 만류에도 불구하고, 나는 유용하거나 가치 있는 목적의 어떤 연구에서보다 훨씬 더 강한 열정으로 새로운 탐사에 몰입했다.

9월 말로 접어든 화창한 어느 오후, 나는 쓰레기 도시의 성역으로 들어갔다. 길가에 쓰레기 더미 같은 것들이 늘어서 있는 걸로 봐서, 그곳은 무수한 넝마주이들의 거주지가 분명해 보였다. 보초병처럼 서 있는 쓰레기 더미 사이를 지나 좀 더 깊숙이 들어서서, 쓰레기의 흔적을 쫓아 막다른 지점까지 가보기로 했다.

쓰레기 더미 사이를 걸어가는 동안, 예기치 않은 이방인의 출현을 호기심 있게 지켜보며 무엇인가가 쓰레기 더미 뒤에서 이리저리 빠르게 움직이는 모습이 스쳤다. 그 지역은 작은 스위스 같았다. 나는 앞으로 걸어갈수록 되돌아갈 수 없을 정도로 구불구불한 길을 따라 갔다.

이윽고 넝마주이의 작은 도시 혹은 공동체 같은 곳으로 들어섰다. 판잣집과 오두막이 많았는데, 윗가지로 만든 벽에 진흙을 바르고, 마구간에도 쓰지 않는 거친 풀로 지붕을 얹은 조악한 마을, 예를 들어 앨런 습지(아일랜드의 리피 강과 섀넌 강 사이에 있는 습지-옮긴이)처럼 외딴 곳에서나 접할 수 있는 광경이었다. 그런 곳에는 어떤 이유로든 들어갈 사람이 없을 것인데, 세심하게 그려진 수채화에서나 운치 있게 보일만한 풍경이었다. 오두막들 한가운데 아주 기묘하게 개조한 건물 하나가 눈에 띄었지만, 난생 처음 보는 형태의 그곳엔 사람이 사는 것 같지 않았다. 거대한 옷장 아니면 찰스 1세나 헨리 2세의 내실 일부분이 주거용으로 개조된 것 같았다. 이중문이 열려져 있어서 내부가 훤히 비쳤다. 반쯤 열린 옷장 사이로 폭 1.2미터 길이 2미터 정도의 평범한 응접실이 보였고, 숯 화로를 둘러싸고 6명 이상의 늙은 병사들이 너덜너덜해진 제1공화국의 군복 차림으로 파이프 담배를 피우고 있었다. 그들은 분명 부랑자 계급으로, 흐릿한 눈과 힘없는 턱을 보면 틀림없이 압생트(알코올 도수가 높은 혼성주의 일종-옮긴이)를 즐겨 먹는 것 같았다. 그들은 구제불능의 주정뱅이에게 전형적으로 나타나는 초췌하고 지친 눈빛과 술김에 격해질지 모르는 광포한 표정을 숨기고 있었다. 그들 맞은편에 낡은 선반 6개가 중간까지 잘려나간 채 놓여 있는데, 넝마와 짚으로 만든 침대였다. 그 건물에 있던 6명이 지나가는 나를 유심히 바라보았다. 내가 몇 발자국 걷다가 뒤돌아보자, 그들은 머리를 맞대고 뭔가 숙덕이고 있었다. 워낙 인적이 드문 곳인데다 그들의 모습이 몹시 험악하게 보여서 나는 기분이 좋지 않았다. 그러나 딱히 두려워할 이유가 없어서 사하라 사막과도 같은 불모지 깊숙이 계속 걸어갔다. 길은 반원형으로 아주 구불구불했고, 계속해서 반원으로 맴을 돌듯이 안쪽으로 이어졌다. 스케이트를 타고 빙그르르 돌 때처럼 점점 방향이 헷갈렸다.

쌓다만 쓰레기 더미에서 모퉁이를 돌았을 때, 누더기 옷을 입은 늙은 병사 한 명이 짚더미 위에 앉아 있었다.

"안녕하세요! 이곳이야말로 군대 분위기부터 l공화국의 모습 그대로군요."

내가 지나갈 때 늙은 남자는 고개를 들지 않았지만, 무신경하면서도 집요하게 땅바닥을 응시하고 있었다. 나는 또 말했다. "야만적인 전쟁이 어떤 결과를 가져왔는지 보십시오! 이곳의 노인들은 옛것에 관심이 많군요."

그러나 내가 몇 걸음 더 걷다가 불쑥 뒤돌아보았을 때, 늙은 군인이 고개를 들고 몹시 기묘한 표정으로 나를 쳐다보고 있었다. 그래서 그 괴짜가 죽지는 않았다는 걸 알게 됐다. 그 남자도 옷장 모양의 건물 안에 모여 있던 여섯 부랑자처럼 아주 이상하게 보였다. 내가 마주보자 그는 고개를 숙였다. 그 남자에 대해서는 곧 잊어버리고 길을 걷고 있는데 그 늙은 용사들이 묘하게 서로 닮은 구석이 있다는 생각이 들었다.

곧이어 비슷한 차림을 한 노병이 또 나타났다. 그도 마찬가지로 내가 지나가는 동안은 나를 바라보지 않았다.

오후기 점점 저물가기에 돌아갈 생각을 하기 시작했다. 그래서 발길을 돌렸지만, 서로 다른 둔덕으로 이어진 무수한 길 중에서 어느 쪽으로 가야 할지 알 수 없었다. 당황하면서 길을 묻기 위해 주변을 살폈지만 눈에 띄는 이가 없었다. 몇 개의 둔덕 사이를 더 지난 뒤 늙은 병사 말고 다른 사람이 있는지 알아보기로 했다.

200미터쯤 더 걸어갔을까, 마침 목표물을 찾을 수 있었다. 전에 본 것과 똑같은 판잣집 한 채가 나타났는데, 정면은 뚫려 있고 세 벽면 위에 지붕만 달랑 올려져 있어서 사람이 사는 곳이 아니라는 점이 달랐다. 주변을 둘러본 결과, 분류소 같은 곳이라는 생각이 들었다. 그 안에 노령으로 주름지고 구부러진 노파 한 명이 있었다. 나는 길을 묻기 위해 노파에게 다가갔다.

내가 다가서자 노파가 일어섰고 나는 그녀에게 길을 물었다. 그녀는 곧바로 내 말에 대꾸했다. 내가 보기엔 쓰레기 왕국 한 복판인 그곳이야말로 파리 넝마주이의 역사가 모조리 모여 있는 장소 같았다. 특히 그곳에서 가장 늙은 거주민으로 보이는 그 노파 같은 이들에게서 얻어들을 수 있는 내용을 떠올리면 더욱 그랬다.

내가 이것저것 묻자, 노파는 매우 흥미로운 대답을 해주었다. 그녀는 대혁명 동안 뜨개질감을 들고 날마다 교수대를 지켜보았고(프랑스 대혁명에 협력한 서민층 여성들이 뜨개질감을 가지고 집회에 참석했다고 함—옮긴이), 폭력성으로 차원이 달랐던 여성들 중에서도 주도적인 역할을 한 인물이었다. 그녀가 불쑥 말했다. "이런, 신사

분이 계속 서 있기 힘들 텐데." 그녀는 흔들거리는 낡은 의자의 먼지를 털어내고 내게 앉으라고 권했다. 이런저런 이유에서 나는 그러고 싶지 않았다. 그러나 가엾은 노파가 퍽 친절하여 청을 거절하면 마음이 상할까 걱정스러웠고, 무엇보다 그녀가 들려주는 바스티유 감옥 이야기가 하도 재미있어서 의자에 앉아 이야기를 계속 나눴다.

한참 이야기를 하는 동안, 늙은 남자(노파보다 더 구부러지고 주름이 많은)가 오두막 뒤에서 나타났다. "피에르라오." 노파가 말했다. "이제 신사분은 뭐든 원하는 얘기를 다 듣게 됐구랴. 피에르는 바스티유에서 워털루까지 모르는 게 없으니까." 내 청으로 노인은 다른 의자에 앉았고, 우리는 그때부터 혁명의 추억담에 흠뻑 젖어들었다. 허수아비처럼 추레한 몰골이었지만, 노인도 6명의 늙은 용사들과 다르지 않았다.

오두막 한 복판에서 내 왼쪽에는 노파, 오른쪽에는 노인이 앉아 있었는데, 그들 쪽에서 보면 약간 내 정면으로 향하고 있었다. 그곳에는 온갖 기이한 잡동사니들이 가득했고, 그 중 대부분은 내심 멀리 치워버리고 싶은 것들이었다. 한쪽 구석에 쌓여 있는 넝마 더미에서 숱한 병균들이 득시글대는 것 같았고, 다른 구석 자리의 뼈 더미에서는 소름끼치는 악취가 풍겼다. 나는 여기저기 쌓여 있는 더미들을 흘깃거리며 그곳에 가득한 쥐 떼의 번뜩이는 눈동자를 볼 수 있었다. 구역질나는 쥐 떼만으로도 기가 막혔지만, 놋쇠 손잡이가 달려 있고 군데군데 핏자국이 엉켜 있는 푸주한의 낡은 도끼가 오른쪽 벽면에 세워져 있는 모습은 더욱 섬뜩했다. 그러나 그마저도 내게 큰 걱정을 끼치진 않았다. 두 노인의 이야기가 너무도 흥미진진한 터라 어스름이 깔리고 쓰레기 더미 사이에 짙은 그림자가 드리워질 때까지 나는 마냥 앉아서 귀를 기울였다.

얼마 후 나는 조금씩 꺼림칙한 느낌이 들기 시작했는데, 딱히 이유를 설명할 수는 없어도 어딘지 마뜩하지 않았다. 꺼림칙함은 본능이고, 경고를 의미한다. 심령력은 종종 지적인 능력의 파수꾼 역할을 한다. 의식적인 작용은 아닐지언정, 심령적인 경고가 이성을 움직이게 만들기도 하니까.

내게도 그랬다. 내가 지금 어디에 있는지, 주변에 무엇이 있는지 신경이 쓰였고, 만약 공격을 받는다면 어찌될 것인지 가늠해보았다. 그리고 분명한 이유가 없음에도 불현듯 위험에 빠졌다는 생각이 들었다. 내 안에서 신중함이 이렇게 속살거렸다. '가만히 있어. 아무런 내색도 하지 마.' 나는 네 개의 교활한 눈동자가 나를 살피고 있음을 알고 가만히 앉아서 아무 내색도 하지 않았다. '네 개의 눈동자, 아니 더 많을지도 모르지.' 이런, 얼마나 오싹한 생각인가! 오두막의 세 벽면이 악한들로 에워싸여 있다니! 나는 혁명 전후 50년 동안 양산된 무법자 무리 한복판에 들어와 있는지도 몰랐다.

위기감 때문에 두뇌 회전과 관찰력이 날카로워졌다. 본의 아니게 점점 더 주의를 경계하게 됐다. 노파의 눈이 계속해서 내 손을 흘깃거렸다. 나도 내 손을 바라보다 그 까닭을 알게 되었다. 반지였다. 나는 왼쪽 새끼손가락에 커다란 도장반지를,

오른쪽에는 멋진 다이아몬드 반지를 끼고 있었다.

어떤 위험이 도사리고 있든, 가장 신경 써야 할 일은 내가 전혀 모르는 척하는 것이었다. 그래서 나는 그곳에 쌓여 있는 잡동사니와 쓰레기를 수집하는 일로 화제를 옮겼고, 자연스럽게 보석 얘기도 꺼낼 수 있었다. 나는 기회를 봐서 보석에 대해 아는 것이 있냐고 노파에게 물었다. 노파는 조금 안다고 대답했다. 나는 오른손을 내밀어 다이아몬드를 보여주면서 이것이 무엇인지 아느냐고 물었다. 그녀는 눈이 침침하다며 내 손을 향해 몸을 잔뜩 웅크렸다. 나는 짐짓 아무렇지 않게 말했다. “이런 내가 실례를 했군요! 이렇게 하면 더 잘 볼 수 있겠지요!” 나는 반지를 빼서 그녀에게 건넸다. 반지를 만지작거리는 동안 주름진 노파의 얼굴에 사악한 빛이 스쳤다. 나를 재빨리 힐끔거리는 그녀의 눈빛은 섬광처럼 날카로웠다.

그녀가 잠시 반지에 고개를 숙이고 살펴보느라 얼굴이 보이지 않았다. 노인은 오두막 정면을 똑바로 응시하면서 주머니를 뒤적이더니 담배쌈지와 파이프를 꺼냈다. 나는 잠시나마 탐색하는 눈길에서 벗어나 땅거미에 어둡침침해진 오두막 안을 조심스레 살펴보았다. 온갖 악취를 풍기며 쓰레기 더미가 사방에 쌓여 있었다. 오싹한 핏자국과 함께 오른쪽 벽면에 도끼가 기대져 있었다. 어둠 속에서도 사방에서 불길하게 번뜩이는 쥐떼의 눈알이 여전했다. 땅에 가까운 뒤쪽 판자의 틈바구니에도 쥐들이 스쳤다. 아니, 잠깐! 판자 틈새에서 나타난 눈알은 특히 크고 빛이 났으며 불길했다!

한순간 심장이 멈추고 만취된 것처럼 빙빙 도는 느낌이 들었다. 육체는 한번 무너지면 다시는 회복될 수 없을 정도로 간신히 지탱되고 있었다. 잠시 후 이번에 나는 침착해져 있었다. 온몸에 힘이 넘쳤고 냉정할 정도로 침착해졌다. 통제력과 감각, 본능적인 경계심까지 완벽한 느낌이 들었다.

이제 내가 처해 있는 위험을 완전히 꿰뚫을 수 있었다. 나는 물불 안 가리는 사람들에게 둘러싸여 감시를 당하고 있었던 것이다! 습격의 순간을 기다리며 오두막 뒤편 땅바닥에 얼마나 많은 무리들이 모여 있는지 어림짐작조차 할 수 없었다. 내가 건장한 체구라는 것을 그들도 알고 있었다. 또한 내가 영국인이고 맞서 싸울 거라는 사실도 알고 있었다. 결국 우리는 서로를 기다리고 있는 셈이었다. 내가 위험을 감지하고 상황을 이해했으니, 마지막 승산은 내게 있었다. 당장은 용기와 인내를 시험받는 중이라고, 나는 생각했다. 싸움 실력은 아마 나중에 시험받게 될 터!

노파는 고개를 들고 흡족한 표정으로 말했다.

"아주 근사한 반지구랴. 정말 아름다운 반지야! 정말! 나도 한때는 그런 반지와 팔찌, 귀걸이가 많았지! 아! 그때는 나도 마을 무도회에서 날렸던 몸인데! 그런데 지금은 모두 나를 잊었겠지! 나를 기억 못하겠지! 그 사람들? 그럼, 내 소식을 전혀 모를 거라우! 어쩌면 그 사람들 할아버지 세대 중에서 나를 기억하는 사람이 있을지도 모르지!"

노파는 쉰 목소리로 낄낄거렸다. 그녀가 반지를 내게 돌려주는 태도에서 깊은 비애와 함께 예스러운 우아함이 느껴져서 나는 뜻밖이라고 말할 뻔했다.

그런데 노인이 의자에서 반쯤 일어서며 갑자기 험악해진 눈빛으로 노파를 바라보다가 퉁명스럽게 내게 말했다.

"나도 좀 봅시다!"

내가 그에게 반지를 건네주려는데 노파가 말했다.

"안 돼요! 안 돼, 피에르에게 주지 말아요! 피에르는 괴팍한 사람이라우. 물건들, 아름다운 반지까지 죄다 잃어버리거든!"

"못된 할망구 같으니!" 노인이 매정하게 말했다. 갑자기 노파는 필요 이상 큰 소리로 말했다.

"기다려요! 반지 얘기를 해주리다." 그녀의 목소리에서 내 신경에 거슬리는 뭔가가 느껴졌다. 어쩌면 지나친 흥분 상태에서 신경이 극도로 예민해져 있었기 때문이겠지만, 그녀가 왠지 나를 상대로 말하는 것 같지 않다는 생각이 들었기 때문이기도 했다. 슬그머니 주변을 둘러보며 뼈 더미에서 쥐 떼의 눈빛을 보았지만, 뒤쪽 판자 틈새에 있던 눈빛은 사라지고 없었다. 그러나 그쪽을 바라보는 동안 눈빛이 다시 나타났다. 노파의 "기다려요!"라는 말이 공격을 중지시켰는지, 판자 벽 너머의 무리들은 약간 편안한 상태로 물러나 있었다.

"일전에 반지를 잃어버렸지. 아름다운 다이아몬드 반지였는데, 한때 왕비의 것이었지만, 어느 소작농이 지세(地稅)를 대신해 내게 주었다우. 나중에 내가 그 소작농을 멀리 쫓아버려, 그 사람은 자살하고 말았어. 아무튼 나는 그 반지를 도난당했다고 단정했고, 소작농들을 다그쳤다우. 하지만 단서가 나오지 않았어. 반지가 하수구에 있을지 모른다고 경찰이 말하더군. 내 아름다운 반지를 두고 경찰관이 하는 말을 믿지 않았지. 난 멋진 옷을 차려입고 그들과 함께 하수관까지 동행했다우. 그 날 이후 나는 하수구와 쥐 떼에 대해 더 많은 것을 알게 됐지! 그러나 횃불에 스치는 이글거리는 눈동자와 사방을 벽처럼 에워싸고 있는 놈들……. 그곳의 끔찍함은 죽어도 잊지 못하겠지. 그렇게 우리 집 지하로 들어갔다우. 하수관의 출구를 찾다가 오물 더미 속에서 내 반지를 발견한 뒤 밖으로 나왔지.

하지만 밖으로 나오기 전에 뭔가 다른 게 눈에 띄었다우! 쥐 떼가 우글거리는 하수관 입구 쪽으로 다가가는데, 일단의 사람들이 우리를 향해 오더군. 사람들은 경찰에게 말하기를, 그들 중 한 명이 하수관에 내려갔다가 돌아오지 않았다는 거야. 그러니까 우리보다 바로 앞서 하수관에 들어왔으니까 길을 잃었다고 해도 그리 멀리 가지는 않았을 거라는 얘기였어. 그들은 동료를 함께 찾아보자고 부탁했고, 우리는 발길을 돌렸다우. 사람들은 더 이상 들어오지 말라고 극구 말렸지만, 나는 끝까지 함께 가겠다고 고집을 부렸지. 새로운 흥밋거리인데다, 이미 반지까지 찾았으니까. 멀리 가지 않아서 뭔가 나타났어. 물이 조금 고여 있는 하수관 바닥에 벽돌과 쓰레기 따위가 쌓여 있더군. 실종자는 횃불이 꺼진 뒤에도 방향을 잡느라 애쓴 흔적이 역력했다우. 하지만 헤치고 나가기엔 장애물이 너무 많았어! 놈들이 그 사람 주변에 오래 있지도 않았고! 뼈가 아직도 따뜻했거든. 하지만 아주 깨끗하게 발라먹었더군. 놈들은 죽은 동족까지 먹어치웠는지, 실종자의 뼈 외에도 쥐 뼈가 사방에 널려 있었어. 사람들은 동료를 구하기 위해 그곳에 들어왔음에도, 동료의 시체와 쥐의 뼈를 태연히 바라보며 농담까지 했다우. 흥! 삶과 죽음, 그게 과연 중요한 문제일까?"

"그럼 할머니는 전혀 무섭지 않았단 말씀인가요?" 내가 물었다.

"무서웠냐고!" 그녀는 크게 웃으며 말했다. "내가 무서웠냐고? 피에르에게 물어보슈! 하지만 그때는 젊었고, 탐욕스러운 눈동자로 둘러싸인 오싹한 하수관을 빠져나올 때 나는 횃불의 불빛이 닿는 곳에서만 움직였지만 기분 좋을 리 없었지. 그래도 줄곧 앞장서서 갔지! 그게 내 식이었으니까! 내가 원한 건, 기회와 수단이었어! 놈들은 뼈만 남겨놓고 남자를 먹어치웠어. 누구도 예상치 못한 일이었고, 비명 소리조차 듣지 못했지!"

갑자기 노파는 섬뜩한 흥에 빠져 발작적으로 낄낄거렸는데, 내 평생 그런 모습과 웃음소리는 처음이었다. 위대한 여류 시인이라면 아마 그 여장부의 노래를 제대로 묘사할 수 있으리라. "오! 그녀의 노래를 보고 들어라! 그것이 신성한 노래인지 나는 모르네."

신성함을 제외한다면 내가 그 쪼그랑할멈에게 느끼는 감정이 그와 비슷했다. 잔악하고 만족스러운 듯 비정한 웃음, 아니면 교활한 히죽거림, 마법의 가면처럼 헤벌려진 오싹한 입가,

물컹한 잇몸 속에서 누렇게 빛나는 몇 개의 치아, 솔직히 나는 무엇이 가장 끔찍한 것인지조차 분간하기 어려웠다. 웃음과 히죽거림, 흡족한 낄낄거림은 나를 죽일 준비가 이미 끝났고, 살인자들은 적당한 시간을 기다리고 있을 뿐이라는 의미로 내게 전해졌다. 나는 섬뜩한 이야기의 행간에서 동료들에게 전해지는 노파의 명령을 읽어낼 수 있었다.

"아직이야." 그녀는 그렇게 말하는 것 같았다. "때를 기다려. 내가 제일 먼저 일격을 가한다. 내게 쓸 만한 무기를 가져와. 기회를 엿보고 있으니까! 이놈은 도망갈 수 없어! 이놈이 조용히만 있으면 쥐도 새도 세상모를 걸. 비명도 지르지 못할 거야. 쥐들이 알아서 제 일을 할 테니까!"

날이 점점 저물어 밤이 오고 있었다. 오두막 안을 슬며시 둘러보았지만, 여전히 달라진 것은 없었다! 구석 벽면에 세워진 피 묻은 도끼, 오물 더미, 뼈 더미와 바닥 틈새에서 번뜩이는 눈동자.

피에르는 무표정하게 파이프에 담배를 채우고 있었다. 그는 파이프에 불을 붙이고 한 모금 내뿜었다. 노파가 말했다.

"에구머니, 벌써 날이 어두워졌네! 피에르, 이 총각 등잔에 불 좀 켜지 그래!"

피에르는 일어서서 오두막 입구 한쪽에 걸려 있는 등잔 심지에 성냥불을 붙였다. 집 안 전체에 불빛이 드리워졌다. 밤에 분류 작업을 할 때 등잔불을 사용하는 것이 분명했다.

"아냐, 이 멍청아! 그것 말고! 각등이라니까!"

노파는 그에게 소리를 질렀다.

그는 곧바로 등잔불을 끄면서 말했다.

"알았어요, 어머니. 찾아볼게요."

그가 왼쪽 구석자리로 서둘러 가는 동안, 노파의 목소리가 어둠을 갈랐다.

"각등! 각등 말이다! 아! 우리 같은 가난뱅이들에게 가장 유용한 게 그거 아니겠어. 각등은 혁명의 친구였어! 넝마주이의 친구였다고! 모든 게 부족해도 각등만은 우리를 도왔으니까."

온 집 안에 삐거덕거리는 소리와 함께 무엇인가 지붕 위에서 끊임없이 움직이는 소리가 들려오자, 그녀는 제대로 말을 잇지 못했다.

또 한 번 나는 그녀의 말에 숨겨진 의미를 눈치 챘다. 각등의 교훈 말이다.

"우리가 집 안에서 실패할 경우, 지붕에서 올가미를 들고 대기하다가 놈이 빠져나갈 때 목 졸라 죽이도록."

내가 밖을 내다보았을 때, 으스스한 밤하늘에 검은 밧줄 올가미가 보였다. 이제 분명히 알 수 있었다. 나는 포위당했다!

피에르가 각등을 찾아오기까지 시간이 많이 걸리지 않았다. 나는 어둠 속에서 노파를 예의주시하고 있었다. 피에르가 각등에 불을 붙이는 순간, 노파의 옆에서 기묘하게 생긴 물체가 솟구쳤다가 이내 그녀의 옷자락 속으로 사라지는 것이 보였다. 길고 예리한 칼 아니면 단도였다. 푸주한이 칼을 갈 때 사용하는 쇠줄 같았다.

각등에 불이 들어왔다.

"이리로 가져와, 피에르." 그녀는 말했다. "우리가 볼 수 있게 문간에 놔두어라. 어쩜, 정말 근사하구나! 어둠에서 벗어날 수 있으니, 딱이지!"

그녀와 그녀의 목적에 딱이었다! 불빛은 내 얼굴을 훤히 비추는 반면, 내게서 양쪽으로 약간 떨어져 앉은 피에르와 노파의 얼굴은 어둠 속에 남겨놓았다.

때가 임박했음이 느껴졌다. 일단 오른쪽 구석에 있는 푸주한의 도끼를 움켜잡고 밖으로 나가야 했다. 적어도 순순히 죽지는 않을 작정이었다. 나는 도끼의 위치를 가늠하면서 단번에 움켜잡을 생각이었다. 때맞춤과 정확성이 관건이다.

이럴 수가! 도끼가 사라졌다! 공포가 엄습했다. 내게 벌어진 끔찍한 일이 알려진다면, 알리스가 얼마나 괴로워할지, 그것이 무엇보다 가슴 아팠다. 그녀는 내게 배신을 당했다고 여기거나 (세상의 어떤 연인 혹은 한번이라도 연인이었던 사람들은 그것이 얼마나 참담한 생각인지 상상이 갈 것이다), 나를 잃은 후에도 오랫동안 사랑을 간직하면서 절망과 낙담에 찢기고 비탄에 젖을 것이다. 극도의 공포에 휩싸인 나는 섬뜩한 음모자들의 위치를 간신히 살폈다.

내 생각은 틀리지 않았다. 고양이가 쥐를 대하듯 노파는 나를 바라보고 있었다. 그녀의 옷자락 속에 숨겨진 오른손에 무시무시한 단도가 움켜져 있음을 나는 알았다. 내가 낙담한 표정을 보인다면, 그 순간을 노려 그녀는 암호랑이처럼 무방비

상태인 나를 덮칠 것이다.

바깥의 어둠을 살피다가 나는 새로운 위협을 발견했다. 오두막 주변에 음침한 형체들이 있었다. 그들은 꼼짝 않고 있었지만 잔뜩 경계 태세를 취한 채 망을 보고 있음이 분명했다.

또 한 번 나는 주위를 은밀히 살폈다. 극도의 흥분과 위험의 순간에서 인간의 정신은 대단히 예민해지고, 그에 따라 감각도 날카로워지는 법이다. 나는 몸소 그것을 체험했다. 순식간에 나는 모든 상황을 간파했다. 도끼는 썩은 판자에 난 작은 구멍 속으로 치워져 있었다. 판자가 얼마나 삭았는지 도끼가 움직이는 소리조차 나지 않았다.

오두막 자체가 살인 덫이었고, 사방에 보초가 서 있었다. 내가 노파의 단도를 피해 달아날 경우를 대비해 누군가 지붕 위에서 올가미를 들고 숨죽이고 있었다. 정면에는 몇 명인지도 모를 감시자들이 포진한 상태였다. 그리고 뒤쪽에 웅크린 부랑자들의 눈빛이 여전히 판자 틈새로 번뜩였다. 내가 마지막으로 그들을 보았을 때, 그들은 신호를 기다리며 획 일어설 채비를 하고 있었다. 그들이 기다려온 시간, 바로 지금!

나는 최대한 태연하게 의자에서 약간 몸을 비틀면서 오른발의 보폭을 충분히 벌여 놓았다. 그리고 두 손으로 머리를 방어한 자세로 옛 기사들의 호전성을 되살리며 의자에서 벌떡 뛰어올랐다. 사랑하는 여인의 이름을 지그시 억누르며 나는 오두막 뒷벽으로 몸을 날렸다.

II

줄곧 나를 지켜보던 피에르와 노파는 갑작스러운 내 움직임에 깜짝 놀랐다. 내가 썩은 목재를 향해 돌진하는 동안, 노파는 호랑이처럼 일어서서 격분한 숨결을 토하고 있었다. 발밑에 꿈틀거리는 것을 훌쩍 뛰어넘고 보니, 오두막 밖에 웅크리고 있던 사람 중 한 명의 등을 밟고 넘었던 것이다. 못과 쪼개진 판자에 긁힌 것 외에 큰 상처는 입지 않았다. 나는 단숨에 정면의 둔덕으로 뛰어올랐고, 그 동안 오두막이 무너지는지 둔중한 울림이 들려왔다.

악몽의 절정이었다. 둔덕은 낮았지만 몹시 가팔라서 발길을 옮길 때마다 오물과 쇠찌기에 살이 찢기고, 발은 자꾸만 미끄러졌다. 먼지가 일어 숨을 쉴 수 없었다. 역겹고 고약했다. 하지만 나는 목숨을 걸고 둔덕을 올랐다. 일초가 한 시간 같았다. 젊은 혈기에서 사력을 다한 것이 내게 유리하게 작용했다. 소음보다 더 끔찍한 침묵 속에서 몇몇 형체가 내 뒤를 따라왔지만, 나는 이윽고 둔덕 정상에 올랐다. 그때부터 나는 원추형 베수비오 화산을 오르는 것 같았다. 유황 냄새 한복판에서 가파른 절벽과 사투를 벌인, 그 몽루주에서의 오싹한 밤은 너무도 생생한 기억으로 지금도 나를 질식시킬 것만 같다.

그 쓰레기 둔덕은 인근에서도 가장 높은 것 중 하나였고, 숨을 헐떡이며 큰 쇠망치처럼 쿵쾅거리는 가슴으로 정상까지 버둥거리는 동안, 나는 왼쪽 멀리서 희미하게 일렁이는 붉은빛

하늘을 보았다. 가까워질수록 섬광이 일렁였다. 천만다행! 내가 어디에 있는지, 파리로 가는 도로가 어느 쪽인지 알게 됐다!

이삼 초 정도 나는 멈춰 서서 뒤를 돌아보았다. 추적자들은 꽤 멀리 떨어져 있었지만, 여전히 단호하고 끔찍한 침묵 속에서 다가오고 있었다. 그 너머 부서진 오두막이 보였다. 목재 더미와 함께 움직이는 형체들이 있었다. 진작부터 타오른 불길 속에서 나는 똑똑히 볼 수 있었다. 넝마와 짚에 각등의 불이 옮겨 붙은 게 분명했다. 여전히 그곳엔 침묵뿐이었다! 소리가 없었다! 늙은 부랑자들은 어쨌든 장렬한 죽음을 맞고 있었다.

내려갈 준비를 하며 둔덕 주변을 둘러보니 사방에서 몇 개의 검은 그림자들이 나를 앞지르기 위해 달려오고 있기에 더는 지켜볼 여유가 없었다. 목숨을 건 경주였다. 그들은 파리 방면 도로에 있는 내게 돌진해왔고, 나는 순간적인 본능에 따라 오른쪽으로 뛰어 내려갔다. 그러나 몇 걸음 못 가서 급한 경사가 나타났고, 그와 동시에 경계심 가득히 나를 지켜보던 노인들이 그쪽으로 빙 돌아왔다. 내가 정면에 보이는 둔덕 사이의 공터를 향해 달려갈 때, 노인 중 한 명이 소름끼치는 푸주한의 도끼를 내게 휘둘렀다. 아마 그런 무기는 세상에 둘도 없으리라!

곧이어 숨 막히는 추격전이 시작되었다. 나는 노인들을 쉽게 따돌렸고, 나중에 젊은이와 몇 명의 여자들까지 합류했을 때에도 거리를 내주지 않았다. 그러나 나는 길을 알지 못했다. 도망치느라 점점 멀어지는 별빛을 길잡이로 삼기도 어려웠다. 특별한 목적 때문인지는 몰라도, 사냥꾼들은 늘 왼쪽으로 방향을 잡는다는 말을 어디선가 들은 적이 있는데, 그때가 바로 그런 상황이었다. 그래서 추격자들이 사람이기보다는 짐승에 가깝다는, 교활함이나 본능을 통해 숨겨진 길을 찾아낸다는 생각이 들었다. 한 차례 전력 질주한 뒤 한숨을 돌리려는데, 갑자기 앞에 있는 오른쪽 둔덕 뒤쪽에서 두세 개의 형체가 기민하게 스쳤다.

나는 이제 거미줄에 걸린 셈이었다! 그러나 새로운 위기가 닥치자 나는 쫓기는 자의 기지를 발휘해 오른쪽으로 질주했다. 그쪽으로 몇 백 미터를 달리다가 다시 왼쪽으로 방향을 틀었고, 어쨌든 포위당할 위험에서는 벗어났다는 생각이 들었다.

그러나 집요하고 거침없이, 음산한 침묵 속에서 내 뒤를 쫓아오는 한 떼의 추적자들에게서 벗어난 것은 아니었다.

밤이 깊어질수록 추적자들의 몸이 더 커진 것 같긴 했지만, 짙어진 어둠 속에서 둔덕들은 오히려 전보다 작아 보였다. 추격자들과의 거리를 상당히 벌려 놓은 상태에서 나는 앞에 있는 둔덕을 오르기 시작했다.

기쁨이었다. 기쁨! 나는 쓰레기 더미로 이루어진 지옥의 끝자락에 가까워지고 있었다. 뒤쪽의 아득한 창공에 파리의 붉은 빛이 몽마르트 너머에 솟구쳐 있었다. 희미한 빛이었지만, 군데군데 별처럼 눈부셨다.

잠시 숨을 돌린 다음, 점점 작아지는 나머지 몇 개의 둔덕으로 뛰어올랐다. 이윽고 둔덕 너머의 평지가 나타났다. 그러나 그때까지도 낙관할 수 있는 상황은 아니었다. 앞에는 어둠과 황량함만 펼쳐져 있었다. 나는 거대 도시의 인근 곳곳에서 발견되는 저지대의 축축한 쓰레기 매립지 중 하나에 들어선 것이 틀림없었다. 덩어리진 유해한 오물들만 자리를 차지하고 있을 뿐, 그 황량한 땅은 가장 비속한 부랑자들마저 원치 않는 공간이었다. 시야가 어둠에 익숙해지고 끔찍한 쓰레기 둔덕의 그림자에서 벗어나자, 방금 전보다 수월하게 사물을 분간할 수 있었다. 물론 수 킬로미터 떨어진 파리의 불빛이 그곳까지 드리워졌기 때문이기도 했다. 어쨌든 얼마쯤 떨어진 주변까지 정확히 알아볼 만큼은 되었다.

삭막하고 평평한 매립지 곳곳에서 검은 웅덩이가 음침하게 빛났다. 오른쪽으로 아득히 먼 곳, 흩어진 불빛 사이로 몽루주 요새가 검은 형체로 솟아 있었다. 멀리 왼쪽에는 주택 창문에서 새어나온 불빛들이 점점이 창공으로 흩어져 그곳이 비세트르임을 말해주었다. 나는 잠깐 생각에 잠겼다가 오른쪽으로 방향을 잡고 몽루주로 가기로 마음먹었다. 그편이 안전할 것 같았고, 조금만 가면 익숙한 교차로가 나올 거라는 생각이 들었다. 그곳에서 멀지 않은 지점에 도시 외곽으로 연결된 도로가 있을 터였다.

그때 나는 뒤돌아보았다. 둔덕 너머, 검은 윤곽으로 이어진 파리의 지평선을 등지고, 몇 개의 형체가 움직였다. 게다가 오른쪽에서 더 많은 무리가 나와 내가 목표한 곳 사이로 이동하고 있었다. 중간에서 나를 가로막을 의도가 분명해서 내가 취할 수 있는 선택지는 많지 않았다. 곧장 앞으로 갈 것인가, 아니면 왼쪽으로 돌아갈 것인가. 추격자의 시야에서 벗어나기 위해 최대한 몸을 낮추고 조심스레 앞쪽을 살폈지만 적의 움직임은 보이지 않았다. 그들이 그쪽에 보초를 세우지 않았는지, 아니면 그런 척 속이는 것인지 알 수 없었지만, 어차피 위험은 예정되어 있었다. 나는 정면으로 난 길을 선택했다.

처음부터 꺼림칙하기는 했으나, 길을 갈수록 실제로 좋지 않은 상황이 뚜렷해졌다. 땅은 물컹거리고 질척거렸으며, 이따금 발밑에 메스꺼운 느낌이 스쳐갔다. 주변의 지세가 내가 있는 곳보다 높은 것으로 봐서 내리막길이었고, 뒤쪽 멀지 않은 곳에 음침한 평지가 있는 듯했다. 주위를 살폈지만 추격자의 모습은 보이지 않았다. 마치 환한 대낮처럼 어둠 속에서도 거침없이 나를 뒤쫓아 온 것을 떠올리면 이상한 일이었다. 나는 밝은 색 트위드 양복을 입고 나온 것을 얼마나 후회했는지 모른다. 적을 볼 수 없는 침묵 속에서 그들은 여전히 나를 지켜보고 있다는 오싹함이 끼쳤다. 그 끔찍한 추적자 외에 다른 사람이 들어주기를 바라며 몇 차례 소리를 질러 보았다. 아무 소리도 들려오지 않았다. 메아리마저 없었다. 한동안 멍하니 서서 한쪽 방향을 물끄러미 바라보았다. 주변의 곳곳에서 무엇인가 꼬리를 물고 움직이고 있었다. 왼쪽 방향이었다. 그쪽에서 나를 향해 똑바로 다가오는 것 같았다.

나는 다시 뛰기 시작하면 또 한 번 적을 따돌릴 수 있다고 생각하고, 있는 힘껏 앞으로 달려 나갔다.

철퍼덕!

끈적끈적한 오물 덩어리에 발이 걸리는 바람에 악취 나는 웅덩이에 곤두박질치고 말았다. 형용할 수 없을 정도로 더럽고 역겨운 진흙탕 속에 팔꿈치까지 잠겼고, 넘어지면서 더러운 오물을 삼켰는지 숨이 막히고 답답했다. 허연 안개가 유령처럼 에워싸고, 역겨운 악취가 진동하는 웅덩이에서 일어서기 위해 숨 가쁘게 발버둥쳤던 그 순간을 결코 잊을 수 없을 것이다. 쫓기는 동물이 점점 다가오는 추격의 무리 앞에서 뼈아픈 절망에 휩싸이듯, 내가 무력하게 서 있는 동안 검은 형체들이 기민하게 나를 에워싸는 최악의 상황이 벌어졌다.

오싹하고 절박한 요구에 생각이 집중된 상황에서도 인간의 정신은 얼마나 엉뚱해지는지 정말이지 기이한 노릇이다. 목숨이 경각에 달린 상황이었다. 내 행동과 앞으로 취하게 될 대안에 따라 생사가 걸려 있었다. 그런데도 노인들이 왜 그토록 집요하게 나를 뒤쫓아 오는지 궁금해졌다. 말없는 단호함, 흔들림 없이 엄숙한 그들의 집요함에 나는 대의명분과 두려움, 심지어 존경심까지 느끼고 있었다. 그들은 젊음의 혈기를 그대로 간직하고 있었다. 그제야 나는 아르콜 다리를 휩쓴 소용돌이와 워털루에서 들려온 나폴레옹 친위대의 경멸에 찬 절규를 이해하게 되었다. 그런 위급한 순간에도 무의식적인 대뇌의 활동은 그 자체로 즐거움을 맛보고 있었다. 그러나 다행히도 대뇌의 쾌락은 행동을 취해야 한다는 절박한 생각과 마찰을 빚지는 않았다.

내가 포기하기 전까지는 상대방도 완전히 승리한 것은 아니었다. 그들은 삼면에서 나를 에워싸는 데 성공하고 왼쪽으로 나를 몰기 시작했다. 그쪽을 지키고 선 자가 아무도 없는 것으로 봐서, 오히려 커다란 위험이 도사리고 있음이 분명해졌다. 나는 차선책을 택했다. 이 경우는 홉슨의 선택*이어서 무조건 달리기 시작했다.(*17세기 영국에서 홉슨이라는 사람이 말을 빌려주는 일을 하면서 손님에게 선택권을 주지 않고 마구간에 있는 말을 차례대로 내준 것에서 비롯된 말로, 선택의 여지가 없는 경우를 이름-옮긴이)

추적자들은 나보다 높은 곳에 있어서 나는 최대한 몸을 낮추었다. 질척이고 험한 길에서 넘어지지 않으려고 애를 써야 했지만, 대각선 방향으로 달리며 그들의 접근을 막았을 뿐 아니라 간격을 벌여놓기 시작했다. 그래서 더욱 힘이 났고, 땅바닥에 익숙해지면서 두 번째 질주가 예고되었다. 앞쪽의 지세가 약간 높았다. 비탈을 급히 오르자, 눈앞에 축축한 쓰레기 더미와 그 너머로 수로 혹은 둑처럼 생긴 검고 음침한 형체가 나타났다. 수로까지만 안전하게 갈 수 있다면, 땅바닥이 단단해지고 적당한 길들이 나타날 것이어서 지금보다는 수월하게 곤경에서 벗어날 수 있을 것 같았다. 좌우를 살펴 접근하는 이가 없음을 확인한 뒤, 나는 진창을 제대로 건너갈 수 있을지 한동안 생각에 잠겼다. 힘겹고 고달픈 일이었지만, 고생스럽다는 것 외에 위험은 거의 없었다. 그리고 얼마 후 나는 수로에 닿을 수 있었다. 기운차게 비탈을 올라갔지만, 또다시 새로운 충격과 맞닥뜨리고 말았다. 양쪽에 웅크린 형체들이 무수히 늘어서 있었다. 오른쪽과 왼쪽에서 그들은 나를 향해 돌진해왔다. 모두 밧줄을 들고 있었다.

포위선이 거의 완성되었다. 나는 어느 쪽으로도 빠져나갈 수 없었다. 최후의 순간이 다가와 있었다.

유일하게 남은 방법, 나는 그것을 선택했다. 수로 위로 몸을 던짐으로써 적의 손아귀에서 벗어나 물속으로 뛰어들었던 것이다.

여느 때 같았으면 물이 더럽고 역겹다고 생각했겠지만, 당장은 목마른 여행객을 환영해주는 가장 맑은 물이었다. 안전한 고속도로였다!

추적자들은 나를 따라 물속으로 뛰어들었다. 단 한 사람만 밧줄을 들고 있었다면, 내가 물살을 가르기 전에 밧줄을 던져 나를 옭아맸을 것이다. 그러나 많은 사람들이 밧줄을 들고 있어서 서로 망설이고 멈칫했다. 밧줄이 첨벙 물 위로 던져졌을 때는 이미 내가 멀리 달아난 후였다. 몇 분 동안 힘껏 헤엄치며 수로를 건넜다. 탈출에 성공했다는 자신감과 집중력을 회복한 뒤, 꽤 유쾌한 기분으로 수로의 둑을 기어올랐다.

둑 위에서 뒤돌아보았다. 어둠을 뚫고 수로에서 오르락내리락 하는 적들이 보였다. 추격은 아직 끝나지 않았고, 나는 또 한 번 선택의 기로에 서야 했다. 내가 서 있는 둑 너머는 방금 지나온 쓰레기 매립지처럼 황량한 늪지대였다. 나는 그곳을 피하고 싶었기에 둑을 따라 올라갈지 내려갈지 잠시 골몰했다.

문득 소리가 들려온 것 같았다. 나지막이 노 젓는 소리, 나는 귀 기울이다가 소리쳤다.

아무 대답 없이 노 젓는 소리가 그쳤다. 어쩌면 추격자들이 배까지 동원한 것인지 몰랐다. 그들이 둑 위쪽으로 올라서는 모습을 보고 둑 아래로 달리기 시작했다. 내가 물속에 뛰어들었던 지점을 왼쪽으로 지나치는 순간, 몇 차례에 걸쳐 첨벙거리는 소리가 들려왔다. 마치 쥐가 물속에 뛰어들 듯 부드럽고 은밀하면서도 아주 요란한 소리였다. 내가 지켜보는 동안 몇 개의 머리가 앞장서서 물살을 가르며 음산하게 번뜩였다. 이미 적들 중 상당수가 수로를 헤엄쳐 오고 있었다.

뒤쪽, 상류에서 노 젓는 소리가 침묵을 깨뜨렸다. 적들은 한창 추격에 열이 오른 상태였다. 나는 필사적으로 달렸다. 일이 분쯤 지나 뒤를 돌아보자, 흩어진 구름 사이로 비친 달빛 아래 몇몇 형체가 둑을 오르고 있었다. 바람이 일었고, 옆쪽 수로의 물결이 작은 파도로 둑에 부딪혔다. 자칫 넘어지기라도 하면 곧장 저승행, 그러니 앞을 똑바로 주시해야 했다. 둑 위에 올라선 형체는 몇 안 되었지만, 매립지의 질척이는 땅을 건너오는 자들은 상당히 많았다.

또 어떤 위험이 도사리고 있을지 짐작조차 할 수 없었다. 달리는 동안, 길이 조금씩 오른쪽으로 비스듬히 이어지는 것 같았다. 고개를 들어 멀리 앞쪽을 살펴보니, 전에 비해 강이 훨씬 넓어져 있었는데, 꽤 멀리까지 펼쳐져 있는 둑길 너머 또 다른 물결이 일렁였고, 몇 개의 형체가 지금 그 늪지를 건너오고 있었다. 나는 섬에 갇힌 꼴이었다.

적들이 양쪽에서 점점 좁혀오고 있으니, 상황이 참 고약했다. 내가 막다른 길에 들어섰음을 눈치 챘는지, 뒤쪽에서 노 젓는 소리가 급해졌다. 주위는 황량함만 가득했다. 시선이 미치는 곳에는 지붕도 불빛도 보이지 않았다. 오른쪽 멀리 검은 형체가 솟아 있었지만, 그것이 무엇인지 알 길이 없었다. 추격자가 시시각각 다가오고, 나는 어찌해야 할지 잠시 생각에 잠겼다. 결정했다. 나는 둑을 내려가 물속으로 뛰어들었다. 내가 섬이라고 생각한 지점에서 역류를 헤치고 나간다면, 조류에 몸을 맡길 수 있다는 계산이었다. 구름이 달을 가리고 사위가 어둠에 빠지기를 기다렸다. 이윽고 나는 모자를 벗어 조심스럽게 물에 띄운 뒤, 곧바로 오른쪽으로 물 속 깊숙이 잠수했다. 30초 정도 잠수했다가 슬며시 물 위로 머리를 내밀고 뒤를 돌아보았다. 연한 갈색 모자는 유유히 멀어져 있었다. 모자 바로 뒤에서 삐거덕거리는 낡은 배 한 척이 맹렬히 노를 저으며 다가왔다. 구름은 아직 달을 완전히 지나가지 않았지만, 살짝 드러난 달빛 아래 누군가 뱃머리에서 금방이라도 내려칠 듯 눈에 익은 끔찍한 도끼 자루를 높이 치켜들고 있었다. 배는 점점 가까이 다가왔고, 남자는 포악스럽게 도끼를 휘둘렀다. 모자가 사라졌다. 남자는 배에서 떨어질 듯 앞으로 몸을 쭉 뺐다. 동료들이 그를 부축하는 동안, 나는 온 힘을 다해 둑 멀리까지 헤엄쳤다. “젠장!” 살기 어린 중얼거림과 함께 어리둥절한 추격자들의 분노가 전해졌다.

그것은 섬뜩한 추격 과정에서 처음으로 들려온 사람의 목소리로 위협과 위험이 가득했지만, 덕분에 줄곧 숨 막히고 소름 끼치던 침묵이 깨졌으니 내게는 오히려 환영 인사나 다름없었다. 적들이 유령이 아니라 인간이라는 분명한 증거이자, 혼자서 다수를 상대하고는 있지만 적어도 인간으로서 운수를 시험해볼 여지는 있을 것 같았다.

그러나 일단 침묵의 마법이 깨진 것을 계기로 갑자기 요란한 소리들이 들려오기 시작했다. 배에서 강둑으로, 다시 강둑에서 배로 질문과 답이 빠르게 오갔는데, 한결같이 사나운 속삭임들이었다. 나는 그때 뒤를 돌아보는, 돌이킬 수 없는 실수를 저질렀다. 그 순간 누군가 검은 물 위에 허옇게 드러난 내 얼굴을 발견하고 소리를 질렀던 것이다. 몇 개의 손들이 나를 가리켰고, 잠시 뒤 항해중인 배 한 척이 나를 맹렬히 뒤쫓기 시작했다. 내가 간신히 앞으로 나아가는 동안, 배는 점점 더 속력을 내며 거리를 좁혀왔다. 몇 번만 힘껏 물살을 가르면 뭍에 닿을 것 같았지만, 시시각각 다가오는 배의 노 혹은 다른 무기에 부딪혀 머리가 박살날지 모른다는 생각이 들었다. 좀 전에 무시무시한 도끼 자루가 물속으로 박히는 모습을 보지 않았다면, 아마 나는 뭍으로 올라가지 못했을 것이다. 나는 목숨과 자유를 위해 초인적인 힘을 발휘하여 간신히 둑으로 뛰어오를 수 있었다. 곧바로 배도 뭍에 도착했고, 배에서 내린 몇 개의 검은 형체가 나를 따라 뛰어올랐기 때문에 일초도 허비할 여유가 없었다. 나는 둑 위에 올라 또 다시 왼쪽으로 달리기 시작했다. 배는 하류를 따라 추격을 재개했다. 배가 움직이는 방향을 보다가 위기감을 느낀 나는 재빨리 몸을 돌려 반대편 강둑으로 내려갔다. 늪지대를 지나자 이내 황량하고 탁트인 평지로 접어들었고, 나는 속력을 높였다.

여전히 냉혹한 추격자들이 등 뒤에 있었다. 멀리 앞쪽에 시커먼 형체가 서 있었지만, 전에 비해 가까운 거리였고 크기도 훨씬 컸다. 비세트르 요새가 분명하다는 생각에 나는 짜릿한 희열을 느끼고, 다시 용기를 내어 질주를 계속했다. 파리의 방어 요새마다 전략 도로가 연결되어 있다는 말을 어디선가 들은 적이 있는데, 깊숙이 파놓은 도로를 따라 군인들이 적들의 눈을 피해 진군한다고 했다. 그 길로 접어들면 안전할 것이기에 어둠 속에서 그 길을 찾겠다는 맹목적인 희망으로 달리고 또 달렸다.

얼마 후 움푹 파인 가장자리에 다다랐는데, 발밑에 양쪽으로 높은 수벽이 쌓여진 도랑이 곧장 펼쳐져 있었다.

점점 숨이 차고 현기증이 났지만 계속 달렸다. 도랑 길은 갈수록 험해져서 비틀거리다 넘어지고 다시 일어나기를 수없이 되풀이하면서도 쫓기고 있다는 두려움 속에서 무작정 달려야했다. 알리스가 떠오르자 다시 괴로워졌다. 주저앉아 그녀의 삶을 비참하게 만들고 싶지 않았다. 살기 위해 최후까지 처절하게 싸울 생각이었다. 모진 노력 끝에 방호벽 위로 올라섰다. 퓨마처럼 벽을 기어오르는 동안, 손과 발이 구분이 안 될 정도로 사력을 다했다. 올라선 곳은 인도처럼 보이는 길이었고,

앞에 희미한 불빛이 아른거렸다. 눈앞이 캄캄하고 어지러워서 여전히 비틀거리다가 쓰러졌고, 먼지와 피범벅이 된 몸을 다시 일으켜 세웠다.

"어이, 정지!"

천국에서처럼 목소리가 들려왔다. 환한 불빛이 내 온몸을 휘감자, 나는 기쁨에 겨워 소리쳤다.

"거기 누구요?" 눈앞에서 소총이 번쩍였다. 뒤에서 맹렬한 추격자 무리가 다가오고 있었지만, 나는 본능적으로 멈춰 섰다.

출입문 쪽에서 나를 향해 몇 마디 말이 튀어나왔고, 초병이 모습을 나타냈을 때 불그스름한 푸른빛이 쏟아졌다. 사방이 눈부셨고, 쇠의 번뜩임과 무기들이 철그렁거리는 소리와 함께 거칠고 요란한 명령이 이어졌다. 완전히 녹초가 된 내가 앞으로 쓰러지려는 순간 군인이 나를 붙잡았다. 나는 수꿀한 마음에 뒤를 돌아보았는데, 검은 형체들은 보이지 않았다. 그 순간 나는 기절했던 것 같다. 정신을 차리고 보니 초소였다. 군인들이 주는 브랜디를 마시고, 지금까지 벌어진 일을 간신히 말할 수 있었다. 그때 파리 경찰국 총경이 불쑥 안으로 들어왔다. 그는 내 이야기에 귀를 기울인 뒤, 잠깐 장교와 뭔가를 의논했다. 모두가 동의했는지, 그들은 내게 함께 가겠냐고 물었다.

"어디로 말입니까?" 나는 자리에서 일어서며 물었다.

"쓰레기 더미로 다시 갑시다. 이번엔 꼭 놈들을 잡아야겠소!"

"해보죠!" 나는 말했다.

총경은 잠시 매서운 눈초리로 나를 바라보다 불쑥 말했다.

"영국 젊은이, 잠시 아니면 내일까지 기다리고 싶소?" 그 말은 내게 어딘지 의도적으로 느껴져서 나는 펄쩍 뛰어올랐다.

"지금 당장 갑시다! 당장! 당장 말입니다! 영국인은 늘 의무를 다할 준비가 되어 있으니까요!"

총경은 영리하면서도 선량한 인물이었다. 그는 친근하게 내 어깨를 두드렸다.

"용감한 분이군! 결례를 용서하시오. 하지만 댁이 진심으로 원하는 것이 무엇인지 알고 싶었소. 출동 준비는 끝났소. 갑시다!"

곧장 초소를 통과한 우리는 둥근 천장으로 길게 늘어진 복도를 따라 바깥의 어둠 속으로 나왔다. 몇몇 군인들이 고성능 랜턴을 들고 대기하고 있었다. 공터를 지나 야트막하게 경사진 통로를 빠져나가자, 내가 도망쳐온 도랑길이 나타났다. 구보 명령에 따라 군인들은 빠른 걸음으로 신속하게 진군하기 시작했다. 쫓기는 자에서 쫓는 자로 바뀐 상황에서 나는 새로운 힘이 솟구쳤다. 얼마 후 강을 가로질러 낮게 드리워진 부교가 나타났는데, 내가 봤을 때보다 위치가 약간 높아져 있었다. 밧줄이 전부 끊어지고, 체인 중 하나가 부서진 것으로 봐서, 누군가 부교를 망가뜨리려고 한 것이 분명했다.

"제 때에 왔군! 조그만 늦었어도 다리를 끊어놓았을 거야. 소리 없이 신속하게, 전진!" 우리는 계속 진군했다. 구불구불한 물줄기 위로 놓여 있는 부교 하나가 또 나타났다. 우리가 다리 위에 올라섰을 때, 다리를 파괴하려는 공작이 다시 시작되었는지 공허한 금속성의 소리가 들려왔다. 명령이 떨어지자, 몇 명의 군인이 소총을 겨누었다.

"발사!" 일제히 사격이 시작되었다. 억눌린 비명 소리에 이어 검은 형체들이 흩어졌다. 그러나 한발 늦었던 탓에 부교의 끝자락이 물속에서 흔들리고 있었다. 진군을 지체할 만큼 심각한 상황이었다. 밧줄을 다시 매고 다리를 복구하는 데 한 시간 가까이 걸렸다.

우리는 다시 추격을 시작했다. 점점 빠르게 우리는 쓰레기 더미에 다가갔다.

얼마쯤 지났을까, 눈에 익은 장소가 나타났다. 불을 지핀 흔적이 남아 있었다. 타다 남은 몇 개의 숯에서 아직까지 붉은 불꽃이 보였지만, 잿더미는 차가웠다. 내가 그 오두막 너머 언덕을 질주하는 동안, 쥐 떼의 눈알들이 인광처럼 빛을 발했던 기억이 떠올랐다. 총경이 장교에게 몇 마디 건넨 뒤 소리쳤다.

"정지!"

군인들에게 주변으로 흩어져 경계 태세를 갖추라고 명령이 떨어졌고, 우리는 주변의 잔해를 조사했다. 총경은 그을린 판자와 쓰레기를 치우기 시작했다. 군인들이 그것을 한쪽으로 쌓아놓았다. 갑자기 그가 움찔하며 뒤로 물러서더니 다시 상체를 수그리며 내게 손짓했다.

"여길 보시오!" 그가 말했다.

소름끼치는 광경이었다. 여자로 보이는 해골 하나가 엎어진 자세로 널브러져 있었다. 거친 뼈마디를 보아 노파인 듯했다. 푸주한의 날카로운 칼로 만든 기다란 대못 같은 단도가 해골의 갈비뼈 사이를 관통해 등뼈까지 박혀 있었다.

"봐서 알겠지만," 총경은 장교와 내게 말하면서 수첩을 꺼내들었다. "저 여자는 자신이 들고 있는 칼 위로 넘어진 겁니다. 주변에 쥐 떼가 우글거리고 있소. 뼈 무덤마다 놈들의 눈알이 번뜩이고 있잖소." 그가 유해에 손을 대자 나는 몸서리쳤다. "보는 바와 같이, 순식간에 해치운 것 같소. 유해에 아직 온기가 남아 있소!"

살았든 죽었든 주변에는 더 이상 인기척이 없었다. 군인들은 다시 대오를 갖추고 진군을 시작했다. 얼마 후 우리는 낡은 옷장으로 만든 오두막에 다다랐다. 그곳으로 다가갔다. 대여섯 개의 칸막이마다 노인들이 잠들어 있었다. 그들은 랜턴 불빛에도 깨지 않을 만큼 곤히 잠든 상태였다. 흉흉하게 늙은 잿빛의 머리칼, 깡마르고 쭈글쭈글한 구릿빛 얼굴, 허연 콧수염이 불빛이 드러났다.

장교가 엄하고 우렁찬 목소리로 명령을 내리자, 순식간에 자리에서 일어난 노인들이 앞으로 나와 '차려' 자세를 취했다.

"여기서 뭘 하는 거요?"

"잠자고 있습니다." 누군가 대답했다.

"다른 넝마주이는 어디에 있소?" 총경이 물었다.

"일하러 갔습니다."

"그럼 당신들은?"

"우리는 망을 보는 중입니다."

"골칫거리들!" 장교는 노인들의 얼굴을 하나씩 바라보며 험악하게 웃었다. 그는 부러 차갑고 잔인한 말투로 덧붙였다. "보초를 서면서 잠을 잔다고! 늙은 초병은 다 그런 식인가? 그러니 워털루가 그 꼴이 났지!"

나는 랜턴 불빛에서 노인들의 굳은 얼굴이 오싹할 만큼 창백해지는 모습을 보며 몸서리쳤다. 그동안 장교의 조롱을 닮은 병사들의 비웃음 소리가 메아리치고 있었다.

나는 순간적으로 복수를 당할지 모른다고 생각했다.

잠시 동안 노인들이 비웃음을 참지 못하고 덤빌 듯한 기세였지만, 오랜 삶에서 배운 대로 그들은 침착함을 유지했다.

"다섯뿐이잖소." 총경이 말했다. "나머지 한 명은 어딨소?"

킬킬거림과 함께 누군가 대답했다.

"저기 있습니다!" 노인이 옷장 바닥을 가리키며 말했다. "어젯밤에 죽었습니다. 자세히 들여다보지 않는 편이 나을 겁니다. 원래 쥐들은 장례식을 빨리 해치우니까요!"

총경은 몸을 수그리고 바닥을 살폈다. 그는 장교를 향해 덤덤하게 말했다.

"돌아가는 게 좋겠소. 지금은 아무 단서도 찾을 수 없소. 당신 부하들이 이 남자에게 총상을 입혔다는 것밖에는! 흔적을 없애기 위해 이자들이 죽였을 거요. 보시오!" 그는 다시 상체를 구부리고 유해에 손을 갖다 댔다. "쥐 떼가 일을 빨리 끝냈군요. 수도 아주 많은 것 같소. 뼈가 아직 따뜻하니까!"

나는 몸서리쳤다. 주변의 군인들도 마찬가지였다.

"부대 정렬!" 장교가 소리쳤다. 결박한 노인들을 중간에 에워싸고 흔들리는 랜턴을 앞세운 채, 우리는 쓰레기 더미를 벗어나 비세트리 요새로 돌아왔다.

* * *

유예기간은 오래 전에 끝났고, 알리스는 나의 아내가 되어 있다. 그러나 가장 생생한 사건들이 벌어졌던 그 괴로운 한해의 시간을 떠올릴 때마다 '쓰레기 도시'를 방문했던 기억이 되살아나곤 한다.

Dracula's Quest

드라큘라의 손님

우리가 여정에 올랐을 때, 태양이 뮌헨을 밝게 비추었고 공기는 초여름의 유쾌함으로 가득했다.

마차가 출발하기 직전에 모자도 쓰지 않은 델브뤼크 씨(내가 머물고 있던 카트르 세종 호텔의 지배인)가 다가와 잘 다녀오라고 안부를 전한 뒤, 마차 문을 잡은 상태로 마차꾼에게 말했다.

"해가 떨어지기 전에 돌아와야 하네. 화창해 보이지만 북풍이 서늘한 게, 갑자기 태풍이 올지도 모르거든. 어련히 늦지 않을 거라고 믿네만." 그는 씩 웃으면서 덧붙였다. "자네도 어떤 밤인지 알잖아."

"예, 지배인님." 요한은 시원스레 대답했다. 그러고는 모자로 손을 가져가 인사를 한 뒤, 재빨리 말을 몰았다. 마을을 지났을 때 나는 요한에게 잠시 멈추라는 신호를 보내고 말했다.

"요한, 말해보게. 오늘 밤이 어떻다는 거지?"

그는 성호를 긋고 짤막하게 대답했다. "발푸르기스의 밤."

그는 대형 회중시계만 한 독일제 낡은 은시계를 꺼내 쳐다보았다. 그러고는 이마를 찡그리며 약간 초조한 기색으로 어깨를 으쓱했다. 쓸데없이 길을 지체하지 말라는 정중한 항의임을 깨닫고, 나는 자리로 물러나서 계속 길을 가라고 손짓했다. 그는 허비한 시간을 보충하려는 듯 서둘러 출발했다. 이따금 말들이 머리를 치켜들고 미심쩍게 허공을 킁킁거렸다. 그때마다 나는 경계심이 들어 주변을 두리번거렸다. 우리가 바람이 거센 고원 지대를 지나는 길이라 도로는 텅 비어 있었다. 도중에 거의 사용하지 않는 듯한 길 하나가 보였는데, 그것은 약간 구불구불한 계곡을 깊숙이 관통하는 것처럼 보였다. 기분이 상할까 봐 걱정하면서도 나는 요한에게 멈추라고 했다. 마차가 멈추자 나는 그 길로 가보고 싶다고 말했다. 그는 별의별 핑계를 대면서 말하는 내내 성호를 그었다. 더욱 호기심이 동한 내가 꼬치꼬치 캐물었다. 그는 교묘히 얼버무리며 항의의 표시로 연신 시계를 쳐다보았다. 마침내 내가 말했다.

"이봐, 요한. 이 길로 가고 싶어. 싫으면 굳이 가자고 않겠어. 다만, 왜 가고 싶지 않은지만 말해줘."

그는 대답 대신 재빨리 마차에서 내렸다. 그러고는 애원하듯 두 팔을 펼쳐들고, 제발 가지 말자고 했다. 독일어에 영어를 섞은 그의 말을 나는 간신히 알아들을 수 있었다. 매번 뭔가를 말하려다가도 겁을 먹는 기색이 역력했고, 성호를 그으며 이렇게 말할 뿐이었다.

"발푸르기스의 밤!"

그와 언쟁을 벌이고 싶어도 독일어를 모르니 쉽지 않았다. 분명 유리한 쪽은 요한이었다. 아주 서툴고 엉뚱한 영어로 말을 시작하다가도 매번 흥분해서는 갑자기 자신의 모국어로 바꾸었다. 그리고 그때마다 시계를 쳐다보았다. 불안해진 말들이 허공을 킁킁거렸다. 그 바람에 더욱 창백해진 그는 겁먹은 표정으로 주변을 두리번거리다가, 갑자기 말고삐를 잡고 6미터쯤 끌고 갔다. 나는 뒤따라가며 왜 그러냐고 물었다. 그는 성호를 긋고, 방금 전 우리가 있던 자리를 가리키고는 반대쪽 길로 마차를 끌고 갔다. 그리고 독일어로 시작해서 영어로 바꾸며 말했다.

"저기 묻혀 있어요, 자살한 사람들."

자살한 사람들을 교차로에 묻는다는 오랜 관습이 생각났다.

"아! 자살한 사람. 그거, 재밌네!"

그러나 말들이 왜 겁을 내는지는 도무지 알 수 없었다.

우리가 말하는 동안 캥캥, 컹컹 짖는 소리가 들려왔다. 먼 곳이었다. 그런데 말들이 몹시 불안해했고 요한은 말들을 달래느라 진땀을 흘렸다. 그가 창백해져서 말했다. "늑대 소리 같아요. 하지만 지금은 이 근처에 늑대가 없을 텐데."

"없어? 늑대들이 오래 전부터 도시 가까이에 있지 않았나?" 내가 다그쳐 물었다.

"봄과 여름에는 오래 머물죠. 하지만 눈이 오고 나면 오래 있지 않아요."

그가 말들을 토닥거려 달래는 동안, 하늘 위로 먹구름이 빠르게 흘러갔다. 햇빛이 사라지더니 차가운 바람이 불어오는 것 같았다. 그러나 곧 태양이 다시 환하게 비친 걸로 보아 한 차례 스친 미풍은 예고에 가까웠다. 요한이 손으로 햇빛을 가리고 지평선을 살피며 말했다.

"곧 눈보라가 칠겁니다."

그러고는 시간을 확인하더니 말고삐를 단단히 쥐었다. 말들이 여전히 불안하게 앞발로 땅을 차며 머리를 흔들어대고 있었기 때문이다. 그는 가야 할 시간이라는 듯 마부석으로 올라갔다.

나는 기분이 뚱해져서 곧장 마차에 오르지 않았다.

"말 좀 해봐. 저 길로 가면 어디가 나오는지."

나는 아래쪽을 가리켰다.

그가 다시 성호를 긋더니 대답하기 전에 기도문을 웅얼거렸다.

"불경한 곳."

"뭐가 불경하다는 거야?"

"마을."

"그럼 저기 마을이 있단 말이야?"

"아니, 아니에요. 사람이 안 산 지 수백 년이나 된걸요."

나는 호기심이 동했다.

"하지만 저기 마을이 있다고 했잖아."

"있었죠."

"지금은 어디에 있지?"

그때부터 그는 독일어와 영어를 섞어가며 긴 이야기를 쏟아냈다. 이야기가 하도 뒤죽박죽이라 무슨 말인지 정확히 이해하지 못했으나, 아주 오래전 그곳에서 사람이 죽어 매장되었다는 정도는 짐작이 갔다. 그런데 땅속에서 소리들이 들려왔다고 한다. 무덤을 파보니, 시체들 얼굴에 생기가 가득했고 입가에 핏자국이 묻어 있었다. 살아남은 사람들은 목숨을 부지하기 위해 (아무렴, 영혼까지 구하려면 그리할밖에! 그는 이 대목에서 성호를 그었다) 다른 곳, 그러니까 '산 자는 산 자고 망자는 망자지 다른 것이 되지 않는 곳'으로 황망히 이주해갔다. 그는 '다른 것'이라는 말을 할 때 몹시 두려워했다. 이야기를 이어가는 동안 그는 점점 흥분했다. 본인의 상상에 사로잡힌 듯, 이야기를 끝낼 때는 공포의 진짜 경련까지 일으켰다. 창백한 안색에 식은땀을 흘렸고, 부들부들 떨면서 주변을 살폈다. 환한 햇빛이 비추는 허허벌판에 무시무시한 유령이라도 나타날 것 같은 표정이었다.

"발푸르기스의 밤!"

그는 어서 타라며 마차를 가리켰다. 내 안에서 영국인의 피가 꿈틀거렸다. 나는 버티고 서서 말했다.

"요한, 겁을 먹었군. 겁을 먹었어. 집으로 가. 난 혼자 돌아갈 테니까. 걷는 것도 건강에 좋지."

마차 문은 열려 있었다. 여행길에 늘 가지고 다니는 떡갈나무 지팡이를 꺼내들고 문을 닫은 뒤, 나는 뮌헨 방면을 가리키며 말했다.

"돌아가, 요한. 영국인에게 발푸르기스의 밤이라고 해서 별다를 건 없으니까."

말들은 더없이 불안해져 있었다. 요한은 말들을 달래려 애쓰면서 내게 바보짓은 하지 말라고 애원했다. 그 모습이 하도 진지해서 나는 그 불쌍한 친구에게 연민이 일었다. 그래도 웃음이 나오는 걸 어쩌지 못했다. 이제 그는 영어를 사용하지 않았다. 불안이 극에 달한 나머지 나와 의사소통을 하려면 영어로 말해야 한다는 사실마저 잊어버리고 독일어로 주절거렸다. 나는 약간 성가신 기분이 들었다. 그래서 방향을 가리키며 "돌아가!"라고 말하고는 교차로를 지나 골짜기 쪽으로 내려갔다.

요한은 체념한 몸짓을 하고 뮌헨 방향으로 마차를 돌렸다. 나는 지팡이에 기대 마차를 바라보았다. 요한은 한동안 마차를 천천히 몰았다. 그런데 언덕 꼭대기에 키 크고 마른 남자 한 명이 나타났다. 멀리서도 잘 보였다. 남자가 마차를 향해 다가서자, 말들이 펄쩍펄쩍 뛰어오르며 발길질을 하다가 급기야 겁에 질려 울부짖었다. 요한은 말들을 통제하지 못했다. 마차는 내리막길을 쏜살처럼 질주해 내려갔다. 마차가 시야에서 사라진 뒤 그 남자를 찾아보았으나 사라지고 없었다.

나는 홀가분해진 마음으로 요한이 그토록 저어하던 골짜기의 샛길로 접어들었다. 그가 왜 그 길을 저어했는지 도무지 모를 일이었다. 시간이나 거리 따위에 신경 쓰지 않고 두 시간 정도를 걸어간 것 같다. 그동안 사람이나 말은 그림자도 보이지 않았다. 경치만 봐서는 폐허나 다름없었다. 그러나 그런 경치를 눈여겨보게 된 것은 굽이진 길목을 돌아 듬성듬성한 숲의 가장자리에 닿았을 때쯤이었다. 길을 걸어오는 동안 나도 모르게 인근의 황폐함에 감화되었다는 것을 깨달았다.

잠깐 쉴 요량으로 앉아서 주변을 둘러보았다. 걸어서 출발했을 때보다 꽤 쌀쌀해져 있었다. 때때로 멀리 위쪽에서 한숨소리 같은 것이 억눌린 포효처럼 들려와 주위를 맴돌았다. 올려다보니, 하늘 높이 크고 짙은 구름이 북쪽에서 남쪽으로 빠르게 흘러가고 있었다. 대기 상층부로는 폭풍우의 징후도 보였다. 약간 한기가 느껴졌으나, 도보로 움직이다가 가만히 앉아 있어서 그러려니 생각하고 다시 걷기 시작했다.

어느덧 경치가 훨씬 운치 있게 변해 있었다. 눈에 띌 정도로 인상적인 것은 없어도 전체적으로 아름다웠다. 시간이 얼마나 지났을까 은근히 신경이 쓰였으나, 집에 돌아갈 길이 걱정스러워졌을 때는 땅거미가 진 후였다. 한낮의 환한 빛은 사라지고 없었다. 쌀쌀해졌을 뿐 아니라 하늘 높이 흘러가는 구름 때문에 더 꺼림칙했다. 뭔가 멀리서 쇄도해오는 듯한 소리가 들렸고, 요한이 늑대 소리라던 기묘한 울음소리도 간헐적으로 들려왔다. 나는 잠시 머뭇거렸다. 얼마 후 눈앞에 펼쳐진 광경은 예상처럼 버려진 마을이 아니라, 산으로 둘러싸인 전원의 드넓은 끝자락이었다. 점을 찍은 듯 무성하게 들판까지 내려와 사면을 뒤덮은 나무들, 여기저기 모습을 드러낸 완만한 비탈과 움푹한 분지. 시선이 좇아간 구불구불한 길은 가장 으슥한 수풀 가까이 굽이돌아 그 너머로 사라졌다.

길을 보고 있는데, 공기 중에 냉기가 끼치는가 싶더니 눈이 내리기 시작했다. 지금까지 황량한 전원을 지나온 거리가 수 킬로미터라는 생각이 들었다. 눈앞의 숲에 눈을 피할 곳이 있는지 서둘러 찾아보았다. 시나브로 하늘은 어두워졌고 눈발은 빨라지고 굵어졌다. 이윽고 대지는 온통 희디흰 카펫으로 뒤덮여 반짝였고, 카펫의 맞은편 가장자리는 희미하게 시야를 벗어나 있었다. 길은 있지만 길이 아닌 곳과 구분하기 어려운데다 산속으로 기어드니 낭패였다. 잠시 후, 발밑에 단단한 땅이 사라지고 풀과 이끼에 발이 푹 들어간 것으로 봐서 길에서 벗어난 모양이었다. 때마침 거세게 불어 닥치는 바람을 안고 달리느라 애를 먹었다. 날씨는 몹시 추워져서 이리저리 몸을 놀리는 것만으로도 고통스러워지기 시작했다. 사정없이 퍼붓는 눈보라가 급류처럼 휘몰아쳐 눈을 뜨기조차 힘겨웠다. 간간이 눈부신 번개가 하늘을 토막 냈고, 섬광 속으로 눈을 뒤집어쓴 주목과 사이프러스가 보였다.

곧 나무 사이로 몸을 피했다. 좀 조용해진 가운데 창공에서 이는 돌풍 소리가 들려왔다. 폭풍의 음산함은 이내 밤의 어둠 속에 녹아들었다. 조금씩 폭풍이 잦아드는 것 같았다. 사납게 한 차례씩 불어오는 바람 아니면 돌풍 정도만 남았다. 그때 늑대의 기묘한 울음소리가 갖가지 닮은 소리를 내면서 주변에 메아리치는 것 같았다.

먹구름을 간신히 뚫고 나온 달빛이 사위를 비추었을 때, 내가 사이프러스와 주목으로 이루어진 무성한 숲 가장자리에 있음을 깨달았다. 눈이 멈추자 나는 주변을 자세히 살피기 시작했다. 지나쳐온 무수한 폐허 속에 어쩌면 집 한 채 정도는 남아 있어서 피난처를 찾을 수 있을 것도 같았다. 숲의 가장자리를 따라가자, 숲을 둘러싼 야트막한 담과 출입구가 잇따라 나타났다. 그때부터 사이프러스가 가로수처럼 늘어선 오솔길이 커다란 정방형의 건축물까지 이어졌다. 그러나 그 순간 구름이 달빛을 가리는 바람에 어둠 속에서 길을 따라 올라가야 했다. 점점 매서워지는 바람 때문에 걷는 동안 추위에 떨었다. 그러나 피난처가 있을 거라는 희망을 품고 무작정 길을 더듬어갔다.

갑자기 주위가 조용해져 멈추어 섰다. 폭풍은 지나갔다. 자연의 침묵에 화답하듯, 내 심장도 박동을 멈춘 것 같았다. 그러나 그것도 잠시, 불쑥 비친 달빛에 그곳이 묘지고, 눈앞에 있는 정방형의 물체는 천지를 뒤덮은 눈처럼 희고 거대한 대리석 묘라는 것이 드러났다. 달빛과 더불어, 다시 휘몰아칠 듯 폭풍이 거친 한숨을 내쉬었다. 그리고 무수한 개 혹은 늑대의 울음처럼 그 낮고 긴 울부짖음이 들려왔다. 나는 두려움과 충격에 휩싸여 점점 지독해지는 냉기에 심장까지 얼어붙는 느낌이었다. 달빛은 여전히 대리석 묘를 환하게 비추고 있었다. 진로가 바뀌었는지 폭풍이 다시 불어오는 징후가 더 또렷해졌다.

무엇에 홀린 듯, 그 묘의 정체와 그런 곳에 외따로 있는 연유가 궁금해서 나는 그쪽으로 다가갔다. 무덤을 한 바퀴 빙 돌다가, 도리스식 출입문에 독일어로 새겨진 글을 발견했다.

스티리아
그라츠의 돌링겐 백작부인
수색 끝에 시체로 발견되다
1801*

(*이 비문은 먼저 여성 뱀파이어 『카르밀라』를 선보였던 작가 죠셉 셰리든 르 파뉴에 대한 브램 스토커의 헌사로도 알려져 있음—옮긴이)

커다란 석조물 몇 개로 구성된 무덤 꼭대기, 단단한 대리석에 커다란 쇠못인지 쇠말뚝인지가 박혀 있었다. 문장 뒷부분에는 러시아어로 다음과 같은 말이 큼지막하게 새겨져 있었다.

망자는 빠르게 돌아다닌다.

글귀에서 전해지는 너무도 기이하고 오싹한 느낌에 나는 돌아서다가 그만 정신을 잃을 뻔했다. 요한의 충고를 따르지 않은 것이 처음으로 후회되었다. 불가사의한 환경과 섬뜩한 전율 속에서 뇌리를 스치는 것이 있었다. 발푸르기스의 밤!

발푸르기스의 밤에 악마가 나다닌다고 믿는 사람들이 적지 않았다. 무덤이 열리고 망자들이 나와 돌아다닌다고 말이다.

땅과 하늘과 물의 요괴들이 한꺼번에 흥청망청 주연을 베푼다는 날도 발푸르기스의 밤이다. 마차꾼 요한이 유독 기피한 장소는 여기였다. 수백 년 전에 인적이 끊긴 마을. 자살한 사람들이 묻혀 있는 곳. 게다가 다시금 몰려드는 맹렬한 폭풍과 눈보라 속에서 혈혈단신 추위에 떨며, 내가 바로 그곳에 서 있지 않은가! 그간 배운 철학과 종교도, 공포의 전율 속에서 쓰러지지 않을 용기도 모두 사라졌다.

그때 강한 폭풍이 나를 덮쳐왔다. 말 수천 필이 한꺼번에 지나가듯 땅이 흔들렸다. 이번에 폭풍이 동반한 것은 눈이 아니라 커다란 우박이었다. 우박은 투석기에서 발사된 것처럼 맹렬한 기세로 사이프러스의 잎과 줄기를 후려쳐 그곳을 옥수수 줄기보다도 못한 피난처로 만들었다. 나는 일단 가장 가까운 나무로 뛰어들었다. 그러고는 이내 그곳에서 빠져나와 유일한 피난처로 보이는 무덤의 움푹한 도리아식 출입문으로 향했다. 거대한 청동문에 기대고 웅크리자 우박을 거뜬히 피할 수 있었다. 우박은 땅과 대리석에 부딪쳐 튀어오를 뿐 내게 위협을 주지 못했다.

내가 기대 있는 동안, 문이 살며시 움직이더니 안으로 열렸다. 무자비한 폭풍에 맞닥뜨린 상황이라 무덤일망정 기꺼이 피난처로 삼을 만했다. 막 안으로 들어가려는데 갈래가 진 번개 섬광이 하늘을 가득 메웠다. 순간 내 시선은 무덤 내부의 어둠으로 향했다. 그 어둠 속에 동그스름한 얼굴과 붉은 입술을 한 미모의 여인이 관대에서 잠든 것처럼 누워 있었다. 머리 위에서 천둥이 내리치는 순간, 나는 거인이 손으로 낚아채듯 폭풍 속으로 내팽개쳐졌다. 몸과 마음의 충격을 미처 깨달을 새도 없이 모든 일은 순식간에 벌어졌다. 우박이 나를 후려치고 있었다. 동시에, 내가 혼자가 아니라는 기이하면서도 또렷한 느낌이 들었다. 나는 무덤을 바라보았다. 그때 또 한 차례 눈부신 섬광이 무덤 위의 쇠말뚝에 떨어지는가 싶더니, 폭탄처럼 대리석을 박살내듯 땅까지 쏟아져 내렸다. 죽은 여인이 괴로이 일어섰으나 섬광에 휩싸인 그녀의 처절한 울부짖음은 천둥소리에 잠겨버렸다. 내가 마지막으로 들은 것은 오싹하게 뒤섞인 소리였다. 또다시 거대한 손아귀에 붙잡혀 끌려가는 느낌이 들었다. 여전히 우박이 나를 후려쳤고, 주변 공기는 늑대들의 울음에 맞춰 진동하는 것 같았다. 어렴풋하게 움직이는 흰색의 무리가 내가 마지막으로 본 것이었다. 마치 나를 에워싼 무덤에서 제각각 수의에 싸인 망자의 혼을 내보내는 것 같았다. 그들은 무리를 지어 우박의 흰 장막을 헤치며 내게 다가오고 있었다.

* * *

흐릿하게 의식이 돌아오는 것 같았다. 지독한 피로감이 몰려왔다. 한동안 아무것도 기억나지 않았다. 그러나 서서히 감각이 되살아났다. 발이 찢어질듯 아파서 움직일 수 없었다. 발의 감각이 사라진 것 같았다. 목덜미에서 등골을 따라 오싹한 느낌이 전해졌고, 발처럼 감각이 없는 귀에서도 극심한 통증이 느껴졌다. 그런데 가슴에서 포근할 정도로 따스한 기운이 느껴졌다. 그것은 악몽이었다. 이런 표현이 적절한지 모르겠으나, 그것은 육체적인 악몽이었다. 가슴을 짓누르는 육중한 무게에 숨이 막혔으니까.

그렇게 반쯤 혼수상태인 채로 꽤 오랜 시간이 흐른 것 같았다. 아마 잠이 들었거나 정신을 잃었으리라. 얼마쯤 시간이 지났을까, 갑자기 뱃멀미를 하듯 메스꺼운 기분이 들더니, 정체 모를 어떤 것에게서 무작정 도망치고 싶다는 욕구가 일었다. 세상이 전부 잠들거나 죽은 것처럼 주위는 온통 정적에 휩싸여 있었다. 그런데 그 정적을 깨는 유일한 소음, 그것은 내 곁에서 들려오는 동물의 나지막한 헐떡거림이었다. 목에서 따뜻한 숨결이 느껴지는 순간, 끔찍한 사실을 깨달았다. 심장이 얼어붙고 온몸의 피가 거꾸로 솟는.

커다란 동물이 나를 올라탄 채 내 목을 핥고 있었다. 가만히 누워 있어야 한다는 본능적인 판단으로 꼼짝할 수 없었다. 그러나 그 짐승이 머리를 치켜든 것으로 봐서, 내게 변화가 생긴 것을 눈치 챈 모양이었다. 속눈썹 사이로 커다란 늑대의 이글거리는 눈동자가 보였다. 벌어진 붉은 입속에서 날카롭고 하얀 이빨이 번뜩였다. 나를 향해 내뿜는 늑대의 뜨거운 숨결은 거세고 매서웠다.

다음 순간은 기억나지 않는다. 갑자기 캥캥 짖다가 낮게 으르렁거리는 소리가 들려왔다. 소리는 계속 되풀이되었다. 그리고 문득, 아주 멀리서 여러 목소리가 "어이! 어이!" 하고 동시에 외치는 소리가 들려왔다. 나는 조심스레 머리를 들어 소리가 들려오는 쪽을 바라보았다. 그러나 묘지가 시야를 가리고 있었다. 여전히 기묘하게 짖어대던 늑대는 소리를 탐색하듯 사이프러스 숲 주변으로 시뻘건 눈알을 굴렸다. 목소리들이 가까워질수록 늑대는 더 빠르고 더 크게 울었다. 나는 소리를 내거나 움직이는 것이 두려웠다. 주변의 어둠 속에 펼쳐진 눈밭 위로 붉은 빛이 다가오고 있었다. 그때 느닷없이 나무 뒤에서 횃불을 들고 말을 탄 사람들이 나타났다. 늑대는 내 가슴 위에서 몸을 일으키고는 묘지 쪽으로 움직였다. 말 탄 사람(군모와 기다란 군복 망토로 미루어 병사들 같았다) 가운데 한 명이 기병총으로 뭔가를 겨냥했다. 그가 팔을 치켜드는가 싶더니, 내 머리 위로 총알이 스쳤다. 나를 늑대로 착각한 모양이었다. 이번에는 누군가 살금살금 도망가는 늑대를 봤는지, 또 하나의 총알이 늑대 쪽으로 날아갔다. 기병대는 쏜살처럼 앞으로 달려왔다. 그들 중 일부는 내게 다가왔고 나머지는 늑대가 사라진 눈 덮인 사이프러스 숲으로 향했다.

그들이 가까이 다가왔을 때 몸을 움직여보려 했지만 그럴 힘이 없었다. 그러나 주변에서 오가는 모습과 소리를 보고 들을 수는 있었다. 병사 두세 명이 말에서 뛰어내려 내 곁에 쭈그리고 앉았다. 한 사람이 내 머리를 들어 올리고 가슴에 손을 가져다댔다.

"다행이야! 심장이 아직 뛰고 있어!"

곧이어 브랜디가 목구멍으로 쏟아져 들어왔다. 술기운에 원기를 되찾은 나는 눈을 크게 뜨고 주위를 둘러보았다. 나무 사이에서 빛과 사람의 그림자가 움직였고 서로를 부르는 소리가 들려왔다. 그들은 겁에 질린 목소리로 소리치며 한군데 모여들기 시작했다. 정신 나간 사람들처럼 묘지에서 허둥지둥 뛰쳐나오는 무리도 있었다. 멀리서 사람들이 다가오자 내 주변에 있던 병사들이 초조하게 물었다. "찾았나?"

누군가 다급히 소리쳤다. "아닙니다! 못 찾았습니다! 어서 여길 떠야겠습니다, 어서! 오래 있을 곳이 아닙니다. 특히 이런 밤에는!"

"뭐였는데?" 은밀한 목소리들이 하나가 되어 물었다. 말하고 싶은 충동과 그것을 억누르는 두려움에 사로잡혔는지, 대답은 오락가락 분명치가 않았다.

"그거, 정말 그거였습니다!" 순간적으로 완전히 정신이 나간 것처럼 보이는 한 사람이 지껄이듯 말했다.

"늑대, 아니 완전히 늑대는 아니고!"

또 누군가가 몸서리를 치며 말했다.

"신성한 총알이 아니면 소용없습니다." 세 번째 병사가 좀 더 차분한 목소리로 말했다.

"이런 밤중에 밖에 나왔으니 도리가 없지! 우리한테 천 개의 표식이 생길 거야!" 네 번째 병사가 소리쳤다.

"부서진 대리석에 핏자국이 있었습니다." 또 다른 병사가 말했다. 그는 잠시 멈추었다가 말을 이었다. "번개 때문이 아닙니다. 그런데 저 사람은 무사합니까? 목을 봐요! 여기들 보십시오, 늑대가 저 사람을 깔고 앉아서 체온이 떨어지는 걸 막

아준 겁니다."

병사 한 명이 내 목을 살피고 말했다.

"맞습니다. 물어뜯긴 자국도 없고 피부가 말짱합니다. 대체 어떻게 된 일이죠? 늑대의 울음소리가 아니었으면 이 사람을 찾지 못했을 겁니다."

"늑대는 어떻게 됐습니까?" 내 머리를 받치고 있던 장병이 물었다. 두 손이 떨리지 않는 것으로 봐서, 장병 가운데 가장 대담한 사람 같았다. 군복 소매에 부사관을 나타내는 수장(袖章)이 달려 있었다.

"자기 서식지로 돌아갔다." 그렇게 대답한 긴 얼굴의 남자는 창백해진 안색으로 주변을 흠칫 바라보다가 몸서리를 쳤다. "저쪽에 놈이 숨을 만한 무덤이 많아. 자자, 어서 여길 뜨자! 이 재수 옴 붙은 곳에서 벗어나잔 말이다."

방금 말을 마친 장교가 나를 일으켜 앉히고 명령을 내렸다. 병사 몇 명이 나를 말에 태웠다. 내 뒤로 올라탄 장교가 나를 감싸 안고 출발 명령을 내렸다. 우리는 사이프러스 숲을 뒤로 한 채, 신속한 군령(軍令)하에 말을 달렸다.

아직 말을 하기 어려운 관계로 나는 부득불 침묵하고 있었다. 잠이 들었던가보다. 다음에 기억나는 것이 두 병사의 부축을 받으며 서 있는 내 모습이었으니까. 거의 대낮처럼 밝았고, 북쪽으로 붉은 태양 광선이 핏줄기처럼 적설 너머 그어져 있었다. 커다란 개가 지켜준 영국인 한 명을 발견한 것 외에 다른 이야기는 무조건 함구하라는 장교의 명령이 떨어졌다.

"개라고 하셨습니까! 그건 개가 아닙니다. 제가 보기엔 늑대였습니다." 숲에 있을 때 누구보다도 겁에 질려 있던 병사 하나가 말했다.

젊은 장교가 침착하게 대답했다. "나는 개라고 말했다."

"개라고 하셨습니다!" 병사가 비꼬듯이 복창했다. 그는 떠오르는 태양에 용기를 얻었는지, 나를 가리키며 말했다. "저 사람의 목을 보십시오. 장교님, 개가 저렇게 했단 말입니까?"

무심코 목에 손을 가져가던 나는 순간 고통스럽게 비명을 질렀다. 병사들이 내 주변으로 몰려들었고 말 위에서 상체를 구부리고 내려다보는 이도 있었다. 또 다시 침착한 장교의 목소리가 들려왔다.

"내가 말한 대로, 개다. 그 이상을 말한다면 우린 조롱만 당할 것이다."

나는 곧 어느 기병의 뒷자리에 태워졌다. 기병대는 뮌헨 외곽으로 이동했다. 도중에 빈 마차와 마주쳤는데, 나는 그 마차로 옮겨져 호텔로 향했다. 젊은 장교가 내 옆에 탔고, 기병 한 명이 장교의 말을 끌고 마차를 따라왔다. 나머지 병사들은 병영으로 돌아갔다.

우리가 도착하자, 안에서 지켜보고 있었는지 델브뤼크 씨가 다급히 층계를 뛰어 내려왔다. 그는 근심스레 두 손으로 나를 잡고 안으로 들어갔다. 나는 경례를 하고 돌아서는 장교에게 간곡히 내 방으로 가자고 부탁했다. 장교가 고맙다고 짤막하게 대답하자, 델브뤼크 씨는 수색대에게 감사의 마음을 전할 때라고 생각한 모양이었다. 그가 분명치 않은 말을 웅얼거리면서 미소를 지었고 장교는 당연한 의무라고 말한 뒤 돌아갔다.

"그런데요, 델브뤼크 씨. 어떻게, 왜 병사들이 나를 찾아 수색에 나선 겁니까?"

그는 어깨를 으쓱해 보였다가 이내 자신의 행동이 경솔하다고 생각했는지 이렇게 대답했다.

"운 좋게도 내가 모시던 연대장님의 허락을 받아 지원병을 모았죠."

"하지만 내가 길을 잃었는지 어찌 아셨나요?"

"마차꾼이 망가진 마차를 끌고 여기까지 왔습니다. 말이 도망가는 바람에 마차가 뒤집혔다는군요."

"고작 그런 이유로 수색대까지 보낸 건 아니겠죠?"

"그럼요! 마차꾼이 오기 전, 선생을 초청한 귀족 분한테서 전보를 받았습니다."

그는 주머니에서 전보를 꺼내 내게 건넸다. 내용은 이랬다.

비스트리차

(루마니아 트란실바니아 지역 북부에 있는 비스트리차너서우드주의 주도—옮긴이)

내 귀빈의 신변에 각별히 신경을 써주시오. 그분의 안전은 내게 지극히 중요한 문제요. 만에 하나 그분에게 무슨 일이 벌어지거나 실종된다면, 수단과 방법을 가리지 말고 찾아서 안전을 확보해주시오. 영국인이라 모험심이 강한 편이오. 눈과 늑대 그리고 밤 시간은 위험할 때가 많소. 그분에게 약간의 문제라도 생긴 것으로 의심되면 지체 없이 조치를 취해주시오. 사례는 톡톡히 하리다.

드라큘라

전보를 손에 쥐고 있는 동안, 방 안이 빙빙 도는 것 같았다. 눈치 빠른 호텔 지배인이 나를 붙잡지 않았다면 그대로 쓰러졌을 것이다. 이 모든 일에 아주 이상한 무엇인가가 있었다. 너무도 기이하고 상상조차 불가능한 그 무엇인가 때문에 마치 적의 희롱거리가 된 기분이었다. 나를 얼어붙게 만드는 것 같은 어렴풋한 생각. 나는 뭔가의 불가사의한 보호를 받고 있었음이 분명하다. 절묘한 순간에 먼 곳에서 날아든 전보가 동사의 위험과 늑대의 이빨에서 나를 구해주었으니 말이다.

The Judge's House

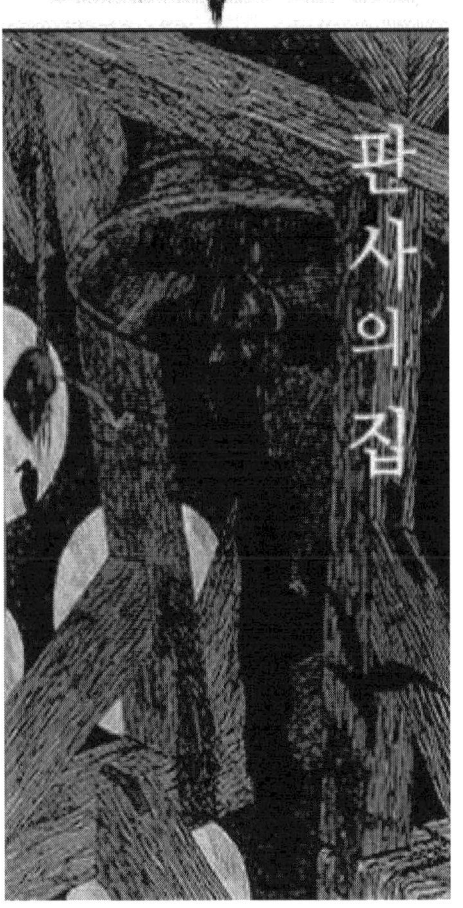

맬컴 맬컴슨은 시험일이 다가오자 어디 가서 혼자 공부하기로 결심했다. 바닷가의 이름난 곳들도, 완전히 외진 시골도 저어됐는데, 그런 곳들의 매력을 잘 알기 때문이었다. 그래서 번지르르하지 않은 작은 마을, 주의를 빼앗길만한 것이 없는 그런 곳을 찾아보기로 결심했다. 어떤 친구한테서도 의견을 구하지 않았는데, 저마다 자기가 알고 있는 장소와 자기가 아는 지인이 있는 곳을 추천할 것이 뻔했기 때문이다. 친구들을 피하고 싶었던 맬컴슨은 그 친구들의 친구들로부터도 성가신 관심을 받고 싶지 않았다. 옷 몇 벌과 필요한 책은 빠짐없이 챙겨서 큰 여행가방에 넣었고, 지방의 기차 시간표에서 그가 모르는 제일 첫 번째 지명을 선택해 기차표를 끊었다.

세 시간의 여정 끝에 벤처치에서 내린 그는 공부를 할 수 있는 평온한 기회를 제법 자신할 만큼 그때까지는 순조롭게 자신의 자취를 지워냈다고 흡족했다. 곧장 그 께느른하고 작은 마을에 있는 한 여인숙으로 향해서 그날 밤을 묵었다. 벤처치는 장이 서는 마을이었다. 그래서 3일에 한 번은 많은 사람들로 북적였지만 나머지 21일 동안은 사막처럼 매력적이었다. 맬컴슨은 마을에 도착한 다음 날 꽤나 조용한 '굿트래블러' 여인숙보다 더 호젓한 곳이 있는지 둘러보았다. 마음에 드는 곳은 딱 한군데, 조용함에 대한 그의 가장 엉뚱한 이상형에도 딱 맞아떨어지는 곳이었다. 사실 조용함은 그곳에 맞는 적절한 말이 아니었다. 그곳의 호젓함에 어울리는 생각을 전달하기 딱 좋은 표현은 황량함이었다. 그곳은 자코비언 양식(17세기 초 영국에서 유행한 건축 양식으로 벽돌을 많이 사용하고 격자형의 작고 네모난 창 등이 특징—옮긴이)의 산만하고 육중한 옛 집이었다. 육중한 박공들과 이런 집에 일반적인 것보다 유달리 작고 높이 난 창문들 그리고 묵직하게 쌓은 높은 벽돌담이 집을 에워싸고 있었다. 살펴본 결과 일반적인 거주공간이라기보다 요새집(중세 유럽에서 발전된 건축 형태로 무장과 방어시설을 갖춘 집—옮긴이)에 더 가깝게 보였다. 그러나 이 모든 것이 맬컴슨을 기쁘게 했다. '여기가 딱 내가 찾던 곳이네.' 그는 생각했다. '이집을 사용할 수 있다면 좋겠는 걸.' 그 집에 현재 거주하는 사람들이 없다는 것을 확실히 알고 났을 때 기쁨은 더 커졌다.

우체국에서 이름을 알아낸 부동산 중개인은 그 옛집의 일부를 빌리겠다는 신청을 받고 유난히 놀라는 기색이었다. 지역 변호사이자 중개인인 칸포드 씨는 온후한 노신사였는데 그 집에 살겠다는 사람이 나선 것에 솔직하게 기쁨을 드러냈다.

"솔직히 말해서 집주인을 대신해 기쁠 따름이군요." 그는 말했다. "집주인은 그 집에 사람이 사는 걸 마을 사람들의 눈에 익게 하려고 누구한테든 몇 년간 무상으로라도 세를 주려고 했거든요. 집이 너무 오랫동안 비어있다 보니 황당한 편견 같은 것만 점점 더 강해져왔어요. 그걸 없애는 가장 좋은 방법은 집에 사람이 사는 것이죠. 만약에," 그는 맬컴슨을 슬쩍 곁눈질하고는 이렇게 덧붙였다. "잠시 동안 조용함을 원하는 댁 같은 학자가 들어온다면야 더 바랄게 없죠."

맬컴슨은 부동산중개인에게 그 '황당한 편견'이 무엇인지 물어볼 필요는 없다고 생각했다. 꼭 알고 싶다면 다른 방면으로 더 많은 정보를 얻을 수 있을 것이기 때문이었다. 그는 석 달 치 집세를 지불한 뒤 영수증과 함께 그를 위해 '집안일'을 해줄만한 노파의 이름을 전달받고서 집 열쇠를 호주머니에 넣었다. 그러고는 쾌활하고 아주 사근사근한 여인숙 안주인을 찾아가 필요할 물건과 식료품들에 대해 조언을 구했다. 그가 어디에 자리를 잡을지 말하자 그녀는 크게 놀라면서 손사래를 쳤다.

"그 판사 집은 아니겠죠, 설마!" 그녀는 말하면서 점점 안색이 창백해졌다. 그는 정확한 건물 이름은 모른다면서 그 집의 위치를 설명했다. 그가 설명을 끝내자 그녀는 이렇게 대꾸했다.

"아이고, 확실하네요. 그 집이 확실해! 그 판사의 집이 확실해요." 그는 그 집을 왜 그렇게 부르는지, 그 집에 대한 반감은 무슨 이유에서인 물었다. 그녀의 말인즉슨, 그 집이 그렇게 불리는 이유는 아주 오래전에 그러니까 다른 마을에서 들은 얘기라 얼마나 오래전인지는 모르겠지만 자기 생각엔 아마 백년은 더 거슬러간 시절에 어느 판사의 집이었기 때문인데, 그 판사가 순회재판에서 수감자들에게 가혹한 판결을 내리고 적대시하여 적잖은 공포의 대상이었다고 했다. 그 집에 대한 반감 자체에 대해서는 그녀도 모르겠다고 했다. 그녀도 종종 물어보곤 하지만 아무도 알려주는 사람이 없단다. 다만 그 집에 '무엇인가'가 있다는 것이 일반적인 정서이고, 자기 자신은 드링크워터스 은행의 돈을 전부 준다고 해도 그 집에서 단 한 시간도 머물지 않겠다고 했다. 그러더니 맬컴슨에게 심란한 얘기를 해서 미안하다고 사과했다.

"나한테도 나리 같은 젊은 신사 분한테도, 달랑 혼자 거기서 산다는 건, 이런 말하긴 좀 그렇지만, 너무 안 좋아요. 만약에 손님이 내 아들이었다면, 이런 표현을 써도 좋을지 모르지만, 거기서 하룻밤도 지내게 하지 않을 거예요. 나더러 혼자 가서 그 집 지붕에 있는 커다란 비상종을 울려야한다면 난 안 갈 거예요!" 그 착한 아낙이 어찌나 분명한 진심으로 또 다정한 의도로 말하던지 맬컴슨은 재밌어하면서도 감동했다. 그는 그토록 신경을 써주니 얼마나 고마운지 모르겠다며 살갑게 말하고 이렇게 덧붙였다.

"하지만 친애하는 위덤 부인, 정말이지 내 걱정은 할 필요 없어요! 수학 우등졸업시험(케임브리지 대학에서 실시한 우등졸업시험의 초기에는 과목이 주로 수학이었다고 함—옮긴이)을 공부하는 사람은 그런 불가사의한 '무엇인가'에 신경 쓰기에는 생각할 게 너무 많거든요. 게다가 하는 공부가 너무 정확하고 단조로워서 마음 한구석에 미스터리니 하는 것들을 품을 여지도 없어요. 내게 미스터리는 조화수열, 순열과 조합, 타원함수로 충분하죠!" 위덤 부인은 그가 부탁한 물건들을 친절히 알아봐주기로 했고, 그는 소개받은 노파를 직접 만나러 갔다. 두세 시간 뒤에 그가 노파와 함께 판사의 집에 도착해보니, 위덤 부인이 짐을 든 몇 명의 남자들, 아이들과 기다리는 중이었다. 그리고 마차에 침대를 실어온 천갈이꾼도 함께였는데 위덤 부인 왈, 탁자와 의자들은 다 괜찮을지 모르나 50년은 족히 바람과 햇볕에 말린 적 없는 침대는 젊은이가 눕기엔 적절하지 않다는 이유에서였다. 그녀는 표나게 집안을 보고 싶은 눈치였다. '무엇인가'를 두려워하는 기색이 역력해서 무슨 소리만 들려도 맬컴슨을 와락 붙잡았지만 그래도 내내 그의 옆에 꼭 붙어서 집안 전체를 둘러보았다.

집안을 살펴본 맬컴슨은 필요한 물건들을 전부 들여놓을 정도로 큼지막한 식당에서 생활하기로 결정했다. 위덤 부인은 가사도우미인 뎀스터 부인과 힘을 합쳐 가재도구들을 정리했다. 들여온 바구니들을 푸는 동안, 맬컴슨은 며칠을 지내기에 넉넉한 식량을 자신의 주방에서 가져온 위덤 부인의 다정하고 깊은 생각을 알게 됐다. 그녀는 떠나기에 앞서 온갖 축복을 빌어주었다. 문가에서 돌아서서는 이렇게 말했다.

"나리, 공간이 넓고 외풍이 많으니까 밤에는 커다란 칸막이 하나로 침대를 둘러치는 게 좋겠어요. 솔직히 말해서 나 같으면 그런 '것들'에 둘러싸여 놈들 머리가 사방에서 두리번거리거나 천장에서 날 쳐다보는 상황에 갇혀있느니 차라리 자살을 하고 말겠지만요!" 자신이 떠올린 이미지를 감당할 수 없었는지 그녀는 쩔쩔매면서 줄행랑을 놓았다.

뎀스터 부인은 여인숙주인이 사라지자 잘난 척 콧방귀를 뀌더니 자기는 영국에 있는 어떤 악귀도 무섭지 않다고 말했다.

"내 말은요, 나리." 그녀는 말했다. "별의별 온갖 악귀들이 무섭지 않다는 거죠! 진짜 악귀만 빼고요! 큰 쥐며 작은 쥐며, 바퀴벌레며, 삐걱거리는 문이며, 헐거워진 슬레이트 지붕이며 깨진 창유리며, 잡아당겼을 때 빠졌다가 한밤중에 떨어지는 뻣뻣한 서랍 손잡이까지 다. 이 방의 징두리 벽판 좀 봐요! 낡았잖아요. 수백 년은 됐을 걸요! 저 속에 쥐와 바퀴벌레가 없을 거라고 생각하진 않겠죠! 그중에서 한 마리는 나리 눈에 띄지 않겠어요? 쥐떼가 악귀고, 악귀가 쥐떼죠. 다른 생각일랑 마세요!"

"뎀스터 부인." 맬컴슨은 정중하게 고개를 숙여 보이고는 심각하게 말했다. "부인은 시니어 랭글러(케임브리지 대학 최고의 수학 학부생에게 주어지는 칭호—옮긴이)보다 아는 것이 더 많군요! 부인이 지닌 이성과 감성의 확고한 건전함에 존경을 표하고자, 내가 떠날 때 이 집의 임차권을 부인에게 양도하겠습니다. 내 임차 기간 중 나머지 두 달 동안 부인이 혼자 이곳을 사용해도 좋습니다. 난 한 달만 사용해도 족하니까요."

"나리, 이리도 고마울 수가!" 그녀는 대꾸했다. "하지만 난 단 하룻밤도 밖에서 잘 수 없답니다. 그린하우 자선시설에서 생활하고 있는데, 하룻밤이라도 외박을 할 경우 지금 받고 있는 생계 혜택들을 전부 잃게 되거든요. 규칙이 아주 까다로워요. 그런 위험을 무릅쓰기에는 내 빈 자리를 노리는 사람들이 너무 많거든요. 그래서 나리가 머무는 동안에만 여기 와서 집안일을 하려고 해요."

"부인." 맬컴슨은 서둘러 말했다. "내가 여기 온 목적은 혼자 있고 싶어서죠. 나 또한 그렇게 훌륭한 자선시설 그러니까 무엇을 하는 시설인지는 모르겠으나 그 정도로 체계적으로 조직한 고(故) 그린하우 씨에게 고마워하고 있다는 점 믿어주세요. 내가 그 덕에 그런 시설의 유혹에 빠질 기회로부터 부득이 거절당한 셈이니까요! 성 안토니우스조차도 그 정도로 엄격하진 못할 테죠!"

그 늙은 아낙은 볼썽사납게 웃어댔다. "에이, 젊은 신사분도 참. 괜한 걱정 말아요. 여기서 혼자 있고 싶다니 아마 그렇게 될 거예요." 그녀는 청소를 하기 시작했다. 해질 무렵, 맬컴슨이 산책을 하고 돌아왔을 때—그는 산책을 할 때 공부할 책 한권을 가져가곤 하는데—방이 깨끗하게 청소되고 정돈되어 있었다. 낡은 난로에서는 불이 타올랐고, 등불이 밝혀져 있었으며, 위덤 부인의 맛깔스러운 음식으로 저녁 식탁까지 차려져 있었다. "이거 정말 안락한 걸." 그는 두 손을 비비면서 말했다.

식사를 마치고 쟁반을 커다란 오크 식탁 한쪽 끝으로 옮겨놓은 그는 다시 책을 꺼내들었다. 벽난로에 장작을 더 넣고 등의 심지를 정돈하고는 정말이지 열심히 공부할 요량으로 자리를 잡았다. 그렇게 11시경까지 쉬지 않고 공부를 하던 그는 난롯불과 등불을 조절하고 차 한 잔 하려고 잠시 책을 놓았다. 그는 늘 차를 마셨고 재학 시절 늦게까지 공부를 할 때도 늦은 시간에 차를 마시곤 했다. 휴식은 그에게 커다란 사치여서 유쾌하고 향락적인 느긋

함으로 그 시간을 즐기곤 했다. 불길이 새로 솟구치며 번쩍였고 크고 낡은 식당 전체에 기묘한 그림자들을 드리웠다. 뜨거운 차를 홀짝이면서 학우들과 동떨어진 고독감을 만끽했다. 쥐떼가 일으키는 소음을 처음으로 알아채기 시작한 것이 바로 그때였다.

그는 생각했다. '설마 내가 책을 보는 내내 저렇게 시끄럽게 굴었을 리 없어. 그랬다면 내가 알았을 테니까!' 곧이어 소음이 더 커지자 그는 소음이 진짜 막 시작된 것이라고 생각했다. 낯선 사람의 출현과 난롯불, 등불에 쥐들이 처음에는 겁을 먹고 있었던 게 틀림없다. 시간이 계속 지나면서 대담해진 녀석들이 이제는 하던 대로 분탕질을 치는 중이었다.

참 부산스럽네! 또 소음은 또 얼마나 요상하던지! 낡은 징두리벽판 뒤로 천장 위로 바닥 아래로 줄달음질치면서 갉고 긁어대니 원! 맬컴슨은 뎀스터 부인의 말을 떠올리면서 씩 웃었다. "악귀가 쥐떼고 쥐떼가 악귀죠!" 차를 마신 효과가 지력과 신경에 자극을 주기 시작하자 그는 그 밤이 지나가기 전에 즐겁게 또 한참 동안 공부를 하겠거니 생각했다. 그래서 안심이 된 그는 식당 안을 자세히 살펴보는 사치를 스스로 허락했다. 한 손에 등불을 들고 사방을 비쳐보면서 어쩌다가 이렇게 아취 있고 아름다운 옛집이 오랫동안 방치되어 있었는지 궁금해졌다. 징두리판벽의 오크나무 조각이 훌륭했고, 문과 창문들도 걸맞게 아름답고 진기했다. 벽에는 오래된 그림들이 걸려 있었지만 먼지가 오물이 너무 두텁게 끼어 있어서 머리 위로 등불을 최대한 높이 들어 올려도 그림들의 구체적인 면면들을 알아볼 순 없었다. 여기저기 둘러보는 동안 틈이나 구멍을 스치는 쥐의 얼굴들과 반짝이는 눈알들이 불빛에 빛났지만 한순간에 사라져 버렸고 찍 소리와 후다닥 소리가 이어졌다. 그러나 가장 강한 인상을 준 것은 지붕의 커다란 비상종에 달린 밧줄 그러니까 식당의 벽난로 오른쪽 구석으로 늘어져 있는 종끈이었다. 그는 등받이가 높은 커다란 오크 의자를 난로 가까이 끌어다놓고 앉아서 차를 마저 마셨다. 차를 다 마신 후에는 장작을 더 넣고 다시 공부를 하려고 식탁 한쪽 구석 그러니까 난롯불을 왼쪽에 둔 위치에 앉았다. 잠시 동안 쥐떼가 쉬지 않는 달리기로 그를 방해했지만 사람들이 시계의 째깍거림이나 물결 소리에 그러듯이 그 소음에 익숙해졌다. 그래서 그는 공부에 열중하게 됐고, 그 결과 풀려는 문제 외에 세상의 모든 것이 그로부터 아득히 멀어져 있었다.

그는 획 고개를 들었다. 수학 문제는 아직 풀리지 않은 상태였고, 공기 중에 새벽이 다가온 느낌이랄까 의뭉스러운 삶에는 무척이나 두려운 시간이랄까 그런 느낌이 감돌았다. 쥐떼의 소음은 그쳐 있었다. 사실 그 소음은 바로 직전에 그친 것 같았고, 그의 집중을 방해한 것이 바로 그 갑작스러운 그침이었다. 난롯불이 약해져 있었지만 여전히 새빨간 빛을 던지고 있었다. 고개를 들고 있는 동안 그는 침착한 성격에도 불구하고 화들짝 놀랐다.

난로 오른쪽, 등받이가 높은 커다란 오크 의자에 커다란 쥐 한 마리가 앉아서 악의적인 눈으로 그를 노려보고 있었다. 그는 그것을 쫓아버리려는 동작을 취했지만 놈은 꼼짝도 하지 않았다. 이번에는 뭔가를 집어던지는 시늉을 해보였다. 그래도 쥐는 움직이지 않고 성이 나서 커다란 흰 이빨을 드러냈다. 등불 속에서 그 잔인한 눈알들이 더 커진 적개심으로 빛을 발했다.

소스라치게 놀란 맬컴슨은 난롯가에서 부지깽이를 집어 들고는 쥐를 죽이려고 덤벼들었다. 그러나 그가 부지깽이를 휘두르기도 전에 쥐는 증오를 응집한 듯한 찍 소리를 한번 지르고는 바닥으로 뛰어내리더니 비상종의 종끈을 따라 뛰어올라가서 녹색 갓이 달린 등불이 닿지 않는 어둠 속으로 사라져버렸다. 이상한 얘기지만, 곧바로 징두리 판벽 안에서 쥐떼가 떠들썩하게 날뛰는 소리가 다시 시작되었다.

이쯤에서 맬컴슨의 정신은 수학 문제에서 완전히 벗어나 있었다. 밖에서 들려오는 날카로운 수탉 소리가 다가오는 아침을 알렸을 때, 그는 잠을 청했다.

그는 너무 깊이 잠드는 바람에 뎀스터 부인이 청소하러 왔을 때도 깨지 않았다. 그가 잠을 깬 것은 그녀가 정돈을 끝내고 아침식사를 준비한 뒤 침대 주변에 둘러친 칸막이를 두드렸을 때였다. 간밤에 공부에 열을 올린 뒤라 약간 피곤했지만 진한 차 한 잔을 마시니 이내 기운이 났다. 책은 물론 점심 때 일부러 돌아오지 않아도 되게끔 샌드위치까지 챙긴 그는 아침 산책에 나섰다. 마을의 외곽 쪽으로 높이 자란 느릅나무 사이에서 조용한 산책길을 찾아냈다. 이곳에서 낮의 대부분을 보내면서 라플라스를 공부했다. 돌아가는 길에 위덤 부인에게 들러서 그녀의 친절에 고마움을 전하려고 했다. 자신의 침실에 있다가 내민창의 마름모꼴 창살을 통해서 그가 오는 것을 본 그녀가 마중 나와서 들어오기를 청했다. 그녀는 그를 탐색하듯이 뜯어보고는 고개를 절레절레 저으며 말했다.

"나리, 과로하지 마세요. 오늘 아침엔 더 창백하잖아요. 너무 늦게까지 너무 머리를 쓰는 건 누구한테도 좋지 않아요! 그런데 나리, 밤은 어떻게 보냈나요? 아마 별일 없었겠죠? 아참! 오늘 아침에 뎀스터 부인이 나리가 무사한 데다 자기가 들어갔을 때까지 곤히 잠을 자더라는 말을 듣고 얼마나 기뻤는지 몰라요."

"아, 무사하다마다요." 그는 웃으면서 말했다. "그 '무엇인가'가 아직은 날 걱정시키지 않더군요. 쥐떼만 빼고요. 뭐랄까, 놈들이 온 사방에서 서커스를 하더란 말이죠. 사악한 모습의 늙은 악마 같은 놈 하나가 글쎄 난롯가 내 의자에 앉아 있지 뭡니까. 부지깽이를 휘두르고 나서야 가버리더군요. 비상종의 종끈을 따라 벽 위 아니면 천장

어딘가로 사라졌는데, 너무 어두워서 정확히 어디로 갔는지는 못 봤어요."

"이걸 어째." 위덤 부인이 말했다. "늙은 악마가 난롯가 의자에 앉아 있다니! 나리, 조심하세요! 조심! 농담이 진담이 된다잖아요!"

"무슨 말이죠? 이해가 되지 않네요."

"늙은 악마라면서요! 어쩌면 그 늙은 악마 말이에요. 어라! 나리, 웃을 거까진 없잖아요." 맬컴슨이 갑자기 폭소를 터뜨렸던 것이다. "나리 같은 젊은 사람들은 늙은이들을 식겁하게 만드는 것들을 웃어넘기기 십상이죠. 신경 쓰지 마세요, 나리! 제발, 나리가 언제나 웃었으면 좋겠어요. 그게 내가 바라는 거니까요!" 이 착한 아낙은 그의 즐거움에 장단을 맞춰 환히 웃으면서 잠시나마 두려움을 잊었다.

"아, 미안해요!" 맬컴슨이 곧 말했다. "무례하다고 생각 마세요. 다만 그 생각을 하니 참기 힘들어서 그만. 늙은 악마가 간밤에 의자에 앉아 있었다니!" 그는 그 생각을 하면서 또 웃어댔다. 이윽고 그는 식사를 하러 집으로 향했다.

이날 저녁에는 쥐떼의 달리기가 일찍 시작됐다. 사실 그가 집에 돌아가기 전부터 이미 진행되고 있었다. 그가 집에 도착하자 그의 존재가 일으킨 새로운 불안감이 쥐들을 멈추게 했을 뿐이다. 저녁 식사를 끝낸 그는 난롯가에 앉아서 잠시 담배를 피웠다. 그러고 나서 식탁을 치우고 전날처럼 공부를 시작했다. 이날 밤엔 쥐들이 지난밤보다 더욱더 그를 방해했다. 위로 아래로 발밑에서 지붕 위에서 어찌나 날뛰던지! 어찌나 찍찍거리고 긁고 갉아대던지! 점점 더 대담해진 놈들이 쥐구멍 입구까지 또 징두리판벽의 틈이며 홈이며 구멍에 나타나 난롯불이 일렁일 때마다 작은 등불처럼 눈알들을 어찌나 반짝이던지! 그러나 이쯤에서 쥐들에 익숙해진 그가 보기엔 녀석들의 눈알들이 그리 사악하지 않았다. 그저 장난스러움이 느껴졌을 뿐이다. 간혹 가장 용감한 놈들이 바닥까지 진출하거나 징두리판벽의 몰딩을 따라 나오기도 했다. 이따금씩 놈들한테 방해를 받은 맬컴슨은 겁을 주려고 소리를 내보거나 식탁을 손으로 두드리기도 하고 무섭게 "쉿, 쉿"하기도 했다. 그때마다 쥐들은 곧장 쥐구멍으로 줄행랑쳤다.

이런 식으로 이른 밤이 지나갔다. 소음에도 불구하고 맬컴슨은 점점 더 공부에 빠져들었다.

그는 전날 밤처럼 갑작스러운 정적에 짓눌려 불현듯 멈추었다. 갉거나 긁거나 찍찍거리는 소리가 아예 들려오지 않았다. 죽음과도 같은 고요. 간밤의 이상한 일이 떠올라서 직감적으로 난로 가까이 있는 그 의자를 쳐다보았다. 그 다음, 아주 기이한 느낌이 온몸에 전율을 일으켰다.

벽난로 옆, 등받이가 높은 크고 낡은 오크 의자에 그 거대한 쥐가 앉아서 사악한 눈알로 그를 빤히 노려보고 있었다.

그는 본능적으로 손에서 제일 가까이 있던 대수학 책을 집어 들고 쥐를 향해 내던졌다. 책은 한참 빗나갔고 쥐는 꼼짝도 하지 않았다. 간밤의 부지깽이 쇼가 한 번 더 재연됐다. 이번에도 바짝 쫓기던 쥐가 비상종의 밧줄을 타고 도망쳤다. 이번에도 묘하게끔 그 쥐가 떠나자마자 보통 쥐들의 소음이 다시 시작됐다. 맬컴슨은 전날과 마찬가지로 그 쥐가 어디로 사라졌는지 알 수 없었다. 녹색 등갓 때문에 실내의 위쪽은 어두운데다 난롯불은 약했기 때문이다.

그가 시계를 보니 자정이 가까웠다. 그래서 기분전환을 해도 후회스럽지 않겠다 싶어 장작을 더 넣고 한밤에 마실 차 주전자를 앉혔다. 꽤 오랫동안 집중해서 공부를 했으니 담배 한 개비 정도는 필 자격이 있다고 생각했다. 그래서 벽난로 앞 커다란 오크 의자에 앉아서 담배를 피웠다. 담배를 피우는 동안 그 쥐가 어디로 사라졌는지 알고 싶다는 생각이 들기 시작했는데 그 이유는 내일 계획 중인 일이 쥐덫과 어느 정도 관련이 있어서였다. 따라서 등불을 하나 더 밝히고 그것을 벽난로의 오른쪽 구석을 비추는 위치에 놓았다. 그러고는 가지고 있는 책을 모조리 손에 잡히는 곳에 가져다 놓고 여차하면 그 해로운 짐승한테 집어던지려고 했다. 마지막으로 비상종의 종끈을 탁자 위에 올려놓고 그 맨 끝을 등 밑에 고정시켜 놓았다. 종끈을 만지다보니 사용하지 않는 튼튼한 밧줄 치고는 꽤나 나긋나긋한 느낌을 그냥 지나칠 수 없었다. '이걸로 사람을 목매달 수도 있겠어.' 이런 생각이 들었다. 준비가 끝나자 주위를 두리번거리면서 흡족하게 말했다.

"자, 이 친구야. 이번만큼은 너에 대해 좀 알게 되겠는걸!" 그는 공부를 다시 시작했다. 앞전에 그랬듯이 처음엔 쥐들의 소음에 조금 산만했지만 곧 수학 명제와 문제에 몰두했다.

다시금 바로 지척의 환경이 갑자기 그의 주의를 끌었다. 이번에는 그의 주의를 끈 것이 갑작스러운 정적만은 아니었다. 종끈의 미세한 움직임이 있었고, 그것을 누르고 있던 등이 이동했다. 그는 움직이진 않고 책 더미가 손에 닿는 거리에 있는지 확인한 다음 종끈을 따라 시선을 옮겼다. 그렇게 살피는 동안, 그 커다란 쥐가 종끈을 타고 오크 안락의자로 떨어지더니 거기 앉아서는 그를 노려보는 모습을 보았다. 그는 오른손으로 책 한권을 집어 들고서 신중하게 조준하고는 그 쥐를 향해 내던졌다. 쥐는 잽싸게 옆으로 뛰어올라 책 미사일을 피했다. 두 번째, 세 번째 책이 연달아 쥐를 향해 날아갔지만 매번 빗나갔다. 그가 또 한권을 집어 들고 일어서서 내던지려는데 마침내 쥐가 찍소리를 내며 겁에 질린 모습을 보였다. 이로써 쥐를 맞추려는 맬컴슨의 열망이 어느 때보다 강해졌다. 책이 날아가 쥐를 강타했다. 쥐는 오싹한 찍소리를 한번 내고는 지독한 적의를 드러낸 표정으로 자신의 추격자를 쳐다보았다. 그러더니 의자 등받이를 뛰어올라간 뒤 비상종의 종끈까지 크게 도약하여 전광석화처럼 그 끈을 타고 올라갔다. 종끈이 갑자기 팽팽해지는 바람에 등이 흔들렸지만 묵직한 것이라 쓰러지진 않았다. 맬컴슨은 쥐를 계속 주시했고, 두 번째 등불 덕분에 놈이 징두리판벽의 몰딩으로 뛰는가 싶더니 벽에 걸린, 먼지와 오물이 끼어 거무스름하고 불분명한 커다란 초상화 중 한곳의 구멍 속으로 사라지는 것을 보았다.

"아침에 이 친구의 서식지를 찾아봐야겠어." 학생은 책을 주우러 다니면서 말했다. "벽난로에서 시작해 세 번째 그림. 잊지 않으마." 그는 책을 한권씩 집어 들면서 그때마다 평을 했다. "『원뿔곡선 기하학』, 녀석이 콧방귀도 안 뀌더군. 『사이클로이드 진자』도 『프린키피아』도 『사원수』도 『열역학』도 마찬가지였고. 자, 녀석한테 한방 먹인 게 바로 이 책이로구나!" 맬컴슨은 그 책을 집어 들고 들여다보았다. 그러다가 소스라치게 놀라면서 갑작스레 안색이 창백해졌다. 거북하게 주위를 두리번거리더니 약간 몸을 떨면서 이렇게 혼자 중얼거렸다.

"어머니가 주신 성경책이잖아! 이 무슨 이상한 우연이람." 그는 자리에 앉아서 다시 공부했다. 징두리판벽 속에서 쥐들이 다시 뛰놀기 시작했다. 그러나 쥐들이 그를 방해하진 않았다. 어찌된 일인지 쥐들의 존재가 그에게 동료들과 함께 있다는 느낌을 주었다. 그러나 공부를 할 수 없어서, 붙잡고 있던 과목을 숙지하려고 애쓰다가 낙담한 채 포기했고, 동쪽 창으로 첫 새벽빛이 슬그머니 들어올 때 잠자리에 들었다.

그는 푹 잤지만 불안하게 많은 꿈을 꾸었다. 뎀스터 부인이 아침 늦게 깨웠을 때 그는 불편해 보였고 잠시 동안 자신이 어디에 있는지 정확히 모르는 눈치였다. 그의 첫 번째 요청은 그 가사도우미를 꽤나 놀래주었다.

"뎀스터 부인, 내가 오늘 외출하면 발판 사다리를 가져와서 저 그림들의 먼지를 털거나 닦아주세요. 특히 벽난로에서 시작해 세 번째에 있는 그림을 신경 써서요. 저게 다 무슨 그림들인지 보고 싶어서요."

오후 늦게 맬컴슨은 그늘진 산책로에서 공부를 했고, 날이 저물어 갈 즈음에는 전날의 활기를 되찾았다. 공부의 진도가 꽤 나가 있었다. 그때까지 난감했던 문제들을 전부 만족스럽게 해결했다. 그래서 '굿트래블러' 여인숙의 위덤 부인을 방문했을 때는 기분이 최고조인 상태였다. 아늑한 거실에 여인숙 여주인과 함께 있는 낯선 사람과 마주쳤는데, 의사선생 손힐이라는 소개를 받았다. 위덤 부인은 썩 편안한 기색이 아니었고, 맬컴슨은 이런 그녀의 모습과 의사의 한꺼번에 쏟아내는 질문들을 결부시켜 본 뒤 의사가 거기 와 있는 것이 우연이 아니라는 결론에 도달했다. 그래서 그는 단도직입적으로 말했다.

"손힐 선생님, 어떤 질문을 하든 흔쾌히 답하겠습니다. 먼저 내 한 가지 질문에만 대답해 준다면요."

의사는 놀라는 기색이었지만 곧 웃으면서 말했다. "그러죠! 무슨 질문인가요?"

"위덤 부인이 선생님더러 이곳에 와서 나를 만나 조언을 해주라고 부탁하던가요?"

손힐 선생은 한순간 깜짝 놀랐고, 위덤 부인은 벌게진 얼굴을 돌려버렸다. 그러나 의사는 솔직하고 요령 있는 남자여서 곧바로 까놓고 대답했다.

"부인이 그랬죠. 하지만 학생이 눈치 채지 않게 하라고 했어요. 학생을 의심하게 만든 건 아마 내가 요령 없이 서둘러서겠죠. 부인은 학생이 혼자 그 집에 있다고 생각하면 꺼림칙하다고 내게 말하더군요. 또 학생이 너무 진한 차를 마시는 것 같다는 말도 했고요. 솔직히 말해서 부인은 학생이 차 마시는 것과 늦게까지 깨어 있는 걸 그만두도록 충고해주기를 바랐어요. 나도 소싯적에 열심히 공부했던 학생이니 대학졸업자로서 실례를 무릅쓰고, 또 생판 모르는 사람은 아닌 입장에서 기분 나쁘지 않게 충고를 해도 될 것 같군요."

맬컴슨은 환한 미소를 짓고 손을 내밀었다. "미국에선 악수라고 하죠!" 그는 말했다. "선생님의 친절에 감사를 드립니다. 위덤 부인한테도요. 두 분의 친절에 의당 보답을 해야죠. 앞으로 진한 차를 마시지 않겠다고 약속하죠.

선생님이 허락할 때까지 일절 마시질 않겠어요. 그리고 늦어도 새벽 1시까지는 잠을 자겠어요. 이러면 될까요?"

"아주 좋아요." 의사는 말했다. "이제 학생이 그 옛집에서 알아낸 걸 모조리 말해 봐요." 맬컴슨은 그 자리에서 지난 이틀 밤 동안 생긴 일들을 빠짐없이 자세히 말했다. 얘기를 하는 도중에 위덤 부인이 간간이 탄성을 지를 때마다 방해를 받았다. 마지막에 성경책 대목을 말했을 때 여인숙주인의 억눌린 감정들은 외마디 비명으로 발산됐다. 물을 탄 독한 브랜디 한잔이 주입된 후에야 그녀는 다시 감정을 추슬렀다. 손힐 선생은 점점 심각해지는 얼굴로 귀를 기울였다. 얘기가 다 끝나고 위덤 부인이 평정을 되찾은 후에 그는 이렇게 물었다.

"그 쥐가 항상 비상종의 종끈을 타고 올라갔나요?"

"네."

"학생은 알고 있는 것 같군요." 의사가 잠시 뜸을 들이고 말했다. "그 종끈이 뭔지."

"아뇨!"

"그게 말이죠." 의사는 천천히 말했다. "그 판사의 사법적 증오심에 희생양이 된 사람들 모두에게 교수형 집행인이 사용했던 바로 그 밧줄이죠!" 이 대목에서 의사는 위덤 부인이 또 비명을 지르는 바람에 말을 멈추고 그녀를 진정시키기 위한 몇 가지 조치를 취해야 했다. 시계를 보고 저녁 식사 시간이 가까워진 것을 안 맬컴슨은 위덤 부인이 완전히 진정되기 전에 집으로 출발했다.

다시 정신을 추스른 위덤 부인은 무슨 의도로 그 불쌍한 청년의 마음속에 그런 섬뜩한 생각들을 집어넣느냐며 모진 질문으로 의사를 몰아세우다시 했다. "그 집에서 그 청년을 괴롭힐 걱정거리는 이미 쌔고 쌨단 말이에요." 그녀는 덧붙였다. 손힐 선생은 이렇게 대답했다.

"부인, 내가 그렇게 한 건 분명한 목적이 있어서죠! 그 학생한테 종끈을 환기시키고 그것을 계속 생각하게끔 만들고 싶었거든요. 학생은 지나친 과로 상태이고, 계속해서 공부에 너무 열중했던 것 같아요. 물론 내가 보기엔 몸도 마음도 건강하고 건전해 보이긴 해요. 다만 그 쥐들 그리고 악귀라는 암시는……" 의사는 머리를 가로젓고는 말을 이었다. "나라면 첫날 그를 따라 가서 하룻밤을 함께 보내겠다고 제안했을 겁니다. 그러나 그랬다면 그 학생이 모욕으로 받아들여 감정이 상하는 빌미가 됐을 게 빤하죠. 밤에 기이한 물체나 환각을 볼지 몰라요. 그렇게 되면 학생이 그 종끈을 잡아당겼으면 하는 게 내 바람입니다. 학생 혼자인 상황에서 그 비상종이 우리한테 경고가 되어줄 겁니다. 그러면 우리가 제때 도착해서 그를 도와줄 수 있을 테고요. 난 오늘밤 늦게까지 깨어 있을 거고, 무슨 소리가 들려오는지 귀를 기울일 겁니다. 아침이 밝기 전에 벤처치에 뜻밖의 일이 생기더라도 놀라지 마세요."

"아이고, 선생님. 그게 무슨 말이에요? 무슨 말이냐고

요?"

"그러니까 내 말은, 만에 하나 아니 열에 아홉은 오늘밤 판사의 집에서 커다란 비상종 소리가 들려올 거란 겁니다." 그렇게 의사는 인상적인 여운을 남기고 퇴장했다.

맬컴슨은 집에 도착했을 때 평소보다 늦었다는 것을 알아차렸다. 뎀스터 부인은 가고 없었다. 그린하우 자선시설의 규칙을 무시해선 안 되기 때문이었다. 실내가 기분 좋은 난롯불과 잘 손질한 등불로 밝고 산뜻해서 기뻤다. 4월 날씨치고는 밤에 추웠고, 묵직한 바람이 어찌나 빠르고 거세게 불던지 그날 밤 폭풍이 닥칠 것만 같은 예고로 가득했다. 그가 집에 들어서고 몇 분 동안은 쥐들이 조용했다. 그러나 그가 있는 것에 익숙해지자마자 다시 시끄럽게 굴기 시작했다. 그는 쥐떼 소리를 듣고 있자니 기뻤다. 쥐들의 소음 속에서 또 한 번 동료 의식이 느껴졌다. 쥐들이 그 사악한 눈알의 커다란 쥐가 나타날 때만 조용해진다는 묘한 사실이 퍼뜩 그의 뇌리에 떠올랐다. 독서등 하나만 밝혀져 있었는데, 그 녹색 등갓은 천장과 실내의 위쪽을 어둠에 남겨놓았다. 그래서 바닥에 번지고 식탁 끄트머리 흰 식탁보에서 반짝이는, 기분 좋은 난롯불이 포근하고 유쾌했다. 맬컴슨은 왕성한 식욕과 활달한 기분을 느끼며 식사를 하려고 식탁 앞에 앉았다. 식사를 끝내고 담배 한 개비를 피운 뒤, 그 어떤 것에도 방해받지 않고 공부를 하겠다는 마음가짐으로 자리에 앉았다.

의사와 한 약속을 떠올리고 한정된 시간을 최대한 활용할 생각이었기 때문이다.

한 시간 가량은 공부가 순조로웠고, 그 후부터 책을 벗어나 잡념이 들기 시작했다. 주변의 실제적인 환경, 그의 주의를 잡아끄는 것들, 그의 예민한 신경을 아니라고 부정해선 안 됐다. 이 무렵에 바람은 돌풍으로 돌풍은 폭풍으로 바뀌었다. 그 옛집은 튼튼하긴 했지만 토대부터 흔들리는 것 같았고, 폭풍은 으르렁 노호하면서 여러 개의 굴뚝과 괴상하고 낡은 박공을 지나 빈방과 복도에서 기묘하고 섬뜩한 소리를 일으켰다. 지붕의 커다란 비상종마저 바람의 힘을 느꼈나보다. 종이 이따금 살짝 움직이는 것처럼 나긋나긋한 종끈이 조금씩 올라갔다가 내려갔다 하다가 묵직하고 공허한 소리를 내며 오크 바닥을 쳤기 때문이다.

그 소리를 듣고 있던 맬컴슨에게 의사의 말이 떠올랐다. "그 판사의 사법적 증오심에 희생양이 된 사람들 모두에게 교수형 집행인이 사용했던 바로 그 밧줄이죠!" 그는 벽난로의 한쪽 구석으로 가서 종끈을 잡고 살펴봤다. 종끈에서 강렬한 흥미 같은 것이 느껴지는 것 같았다. 그는 그 희생양들이 누구였을까, 그토록 소름끼치는 유물을 늘 눈에 띄는 곳에 둔 판사의 냉혹한 소망이 무엇이었을까 잠시 골똘히 생각에 잠겼다. 그렇게 서 있는 동안에도 지붕의 비상종이 흔들리면서 이따금 종끈을 들어 올리곤

했다. 그런데 곧이어 다른 느낌이 전해졌다. 무엇인가 종끈을 따라 움직이는 것처럼 진동 같은 것이 느껴진다고 할까.

무의식적으로 위를 쳐다본 맬컴슨은 그를 계속 노려보면서 천천히 내려오고 있는 그 커다란 쥐를 발견했다. 그는 잡고 있던 종끈을 놓아버리고 욕설을 웅얼거리면서 화들짝 물러섰다. 그러자 그 쥐는 방향을 틀더니 위쪽으로 달려 올라가 사라져버렸고, 그와 동시에 한동안 그쳤던 쥐떼의 소음이 다시 시작됐다.

그는 이 모든 상황에 대해 생각하기 시작했다. 이때 벼르고 있던, 그러니까 쥐의 은신처 조사나 그림 확인을 하지 않았다는 생각이 났다. 갓이 달리지 않은 다른 등에 불을 켠 뒤, 그것을 치켜들고 벽난로에서 오른쪽 세 번째 다시 말해 간밤에 그 쥐가 사라졌던 그 그림 앞에 가서 섰다.

그가 그림을 쳐다보자마자 다급히 뒤로 물러나는 바람에 등을 떨어뜨릴 뻔 했다. 그의 안색은 몹시 창백해졌다. 무릎이 부들거렸고 이마에 굵은 식은땀이 맺혔다. 사시나무 떨듯 온몸이 떨렸다. 그러나 그는 젊고 대담했다. 정신을 가다듬고 잠시 후에 다시 앞으로 가서 등불을 들어올렸다. 먼지를 털어내고 닦아내서 깨끗해진 그 그림을 톺아보았다.

진홍색 담비 모피의 법복을 입은 한 판사의 초상화였

다. 그의 얼굴은 강인하고 무자비하며 악독하고 교활하며 앙심이 깊어보였다. 육감적인 입, 색은 불그스름하고 생김새는 맹금류의 부리를 닮은 매부리코. 얼굴의 나머지는 시체 같은 색을 띠고 있었다. 두 눈은 유난히 빛이 났고, 오싹하리만큼 악의적인 눈빛을 하고 있었다. 그 눈을 쳐다보던 맬컴슨은 싸늘한 느낌이 들었다. 그 눈에 있는 것을 커다란 쥐의 눈알에서 봤기 때문이다. 손에 든 등불을 떨어뜨릴 뻔 했다. 그 쥐가 사악한 눈빛으로 초상화의 귀퉁이에 난 구멍을 통해서 밖을 내다보고 있었던 것이다. 게다가 그는 다른 쥐들의 소음이 갑자기 그친 것을 알아챘다. 그래도 정신을 다잡고 초상화를 계속 살펴보았다.

판사는 커다란 벽난로 오른쪽에 있는 등받이가 높은 큼지막한 오크 의자에 앉아 있었다. 벽난로의 한쪽 구석으로 찬장에서 늘어진 밧줄 하나가 보였는데, 밧줄의 끝부분이 바닥에 돌돌 말려 있었다. 공포랄까 그런 감정에 휩싸인 맬컴슨은 그 초상화 속의 공간을 알아보았다. 그래서 등 뒤에 낯선 존재가 있을 것만 같은 예감으로 주눅이 들어서 주위를 두리번거렸다. 그때 벽난로 구석 너머를 보다가 그만 크게 비명을 지르면서 등불을 놓쳐버렸다.

뒤로 종끈이 늘어져 있는 판사의 안락의자에 이제는 더욱 강렬해진 판사의 사악한 눈빛을 한 그 쥐가 앉아서 악마처럼 힐끔거리고 있었다. 거센 폭풍 소리 말고는 정적이 흘렀다.

떨어진 등 덕분에 맬컴슨은 정신을 차렸다. 다행히 등은 금속으로 만들어진 것이라 등유가 새지 않았다. 그래도 확인해 봐야한다는 현실적인 요구가 단박에 그의 신경불안을 잠재웠다. 그는 등불을 끄고 이마를 훔친 뒤 잠시 생각했다.

"이래선 안 돼지." 그는 혼잣말했다. "이런 식으로 가다간 미치광이 바보가 되고 말 거야. 멈춰야 해! 차를 마시지 않겠다고 의사와 약속했잖아. 정말이지 의사 선생이 딱 옳았어! 내 신경이 점점 이상해지고 있었던 거야. 우습게도 그걸 알아채지 못했어. 살면서 이렇게 가뿐한 느낌이 든 적은 처음이야. 아무리 당장은 괜찮다 해도 또 다시 바보처럼 굴어선 안 돼."

이윽고 물에 브랜디를 진하게 탄 그는 어기차게 공부를 할 요량으로 자리에 앉았다.

그가 갑작스러운 정적에 심란해져 책에서 고개를 든 것은 한 시간 가까이 지난 뒤였다. 밖에선 바람이 어느 때보다 더 요란하게 울부짖고 으르렁거렸고, 창문에 퍼붓는 억수비는 우박처럼 유리창을 때렸다. 그러나 안에서는 커다란 굴뚝 안에서 포효하는 바람의 메아리와 폭풍이 잠잠해질 때마다 그 굴뚝을 따라 빗방울들이 떨어지면서 내는 쉭쉭 소리 외엔 정적이 흘렀다. 난롯불이 붉은 빛을 던지곤 있었지만 불길은 약해져서 타오르진 않았다. 맬컴슨이 귀를 기울이자 곧바로 가늘고 아주 희미한 찍찍 소리가 들려왔다. 방의 한쪽 구석, 종끈이 늘어져 있는 곳에서 나는 소리였다. 그는 비상종이 흔들릴 때마다 종끈을 들었다가 놓았다 하는 과정에서 종끈이 바닥에 닿는 소리라고 생각했다. 그런데 위를 올려다보니 어슴푸레한 빛 속에서 모습을 보인 그 커다란 쥐가 종끈에 달라붙어 그것을 갉고 있었다. 밧줄의 끊어진 가닥들이 드러난 부분에 색이 연해진 것이 보였다. 종끈은 이미 거의 다 갉혀 있었다. 그가 쳐다봤을 때 일은 마무리 단계였다. 잘린 종끈의 끝부분이 덜컥하면서 오크 바닥으로 떨어졌고, 한순간 그 커다란 쥐는 혹 또는 장식술처럼 종끈 끝자락에 매달려 있었다. 이제 종끈이 이리저리 흔들리기 시작했다. 맬컴슨은 잠시 동안 격심한 공포의 통증을 느꼈다. 바깥 세상에 도움을 청할 수 있는 가능성이 차단됐다는 생각 때문이었다. 그런데 곧 강렬한 분노가 공포의 자리를 대신했다. 그는 읽고 있던 책을 움켜잡고 그 쥐를 향해 던졌다. 조준은 괜찮았지만 그 쥐는 책 미사일에 맞기 전에 툭 하는 작은 소리와 함께 바닥으로 떨어졌다. 맬컴슨은 곧장 쥐를 향해 달려들었지만 놈은 잽싸게 도망쳐서 실내의 어둠 속으로 종적을 감추었다. 이날 밤 공부는 이제 글렀다고 생각한 맬컴슨은 쥐를 사냥하는 것으로 지금까지 취한 일련의 조치들이 단조로웠던 것을 단번에 변화시키겠다고 마음먹었다. 그래서 빛이 미치는 범위를 더 넓게 할 요량으로 등의 녹색 갓을 떼어냈다. 그러자 실내의 위쪽 어둠이 밝아졌고, 이전의 어둠과 비교하면 새롭고 환한 빛이 넘실거렸다. 그 빛 속에서 벽면의 초상화들이 아주 또렷하게 보였다. 맬컴슨이 서 있는 자리 바로 맞은편에 벽난로 오른쪽 세 번째 초상화가 있었다. 그는 놀라서 눈을 비볐고 이내 엄청난 공포가 그를 덮쳐오기 시작했다.

초상화의 중심엔 갈색 캔버스의 천이 고르지 않게 넓은 부분을 차지하고 있는데, 액자에 넣고 펼쳤을 때처럼 새것이었다. 나머지 배경엔 앞전처럼 의자며 굴뚝 구석이며 종끈이 보였지만 판사의 모습은 사라지고 없었다.

맬컴슨은 공포의 냉기 속에서 천천히 뒤돌아섰고, 곧바로 중풍에 걸린 사람처럼 부들부들 떨기 시작했다. 힘이 다 빠져버린 것 같아서 동작을 취하거나 움직이거나 할 수 없었고 심지어 생각조차 할 수 없었다. 그저 보고 들을 수만 있었다.

높은 등받이의 커다란 오크 의자에 진홍색 담비 모피의 법복을 입은 판사가 앉아서 사악한 눈을 이글거리며 앙심을 드러내고 있었다. 손으로 검은 모자를 들어 올릴 때는 단호하고 잔인한 입에 승리의 미소를 머금었다. 팽팽한 긴장감이 계속될 때 사람들이 그러하듯 맬컴슨은 심장에서 피가 빠져나가는 기분이 들었다. 이명이 들렸다. 거센 비바람의 포효와 아우성을 들을 수 있었고, 그것을 뚫고 시장에서 커다란 종이 알리는 자정의 시보가 폭풍에 휩쓸

려 들려왔다. 그는 영원처럼 느껴지는 시간 동안 겁에 질려 휘둥그레진 눈을 하고 숨죽이며 석상처럼 가만히 서 있었다. 시계가 울리는 동안, 판사의 얼굴에서 승리의 미소가 더욱 강해졌고, 자정을 알리는 마지막 시보에서 그는 검은 모자를 다시 머리에 썼다.(사형제 존속 시기의 영국을 비롯해 아일랜드, 웨일스 등지에서 사형을 선고하는 판사가 법정에서 가발 위에 검은 모자를 썼다고 함—옮긴이)

판사는 천천히, 신중하게 의자에서 일어나 바닥에 놓여 있던 비상종의 끊어진 밧줄을 집어 들었다. 그러고는 그 감촉을 즐기듯 두 손으로 끌어당기더니 신중하게 한쪽 끝을 매듭지어서 올가미 형태로 만들었다. 그것을 발에 대고 마음에 들 때까지 세게 잡아당기면서 튼튼한지 시험했다. 그런 식으로 당기면 죄어지는 올가미를 만들어 한손에 쥐었다. 이윽고 그는 맬컴슨의 맞은편 식탁을 빙 돌아서 움직이며 그를 예의주시하면서 지나치더니 민첩한 동작으로 문 앞에 섰다. 맬컴슨은 자신이 함정에 빠졌다는 느낌이 드는 터라 어떻게 해야 할지 생각하려고 애썼다. 판사의 눈에는 홀리는 힘이 있어서 맬컴슨은 그 눈길을 피하지 못하고 강제로 마주봐야만 했다. 판사가 다가오는 모습이 보였다. 여전히 그가 맬컴슨과 출입문 사이를 막아선 상황이었다. 판사는 맬컴슨을 옭으려는 듯이 올가미를 던졌다. 맬컴슨은 간신히 한쪽으로 재빨리 비켜섰고 밧줄이 옆에 떨어지는 것을 보았고 오크 바닥에 부딪치는 소리를 들었다. 판사가 또 다시 올가미를 들어 올리더니 그에게 걸려고 했다. 그러면서도 맬컴슨에게 고정한 사악한 눈을 떼는 법이 절대 없었다. 학생 맬컴슨은 매번 엄청난 노력 끝에 간신히 올가미를 피했다. 이런 과정이 여러 번 되풀이 됐는데, 판사는 계속되는 실패에도 전혀 낙담하거나 동요하지 않고 오히려 생쥐를 가지고 노는 고양이처럼 굴었다. 맬컴슨은 극에 달한 절망 속에서 주변을 빠르게 훑어보았다. 등불이 밝게 비추고 있는지, 실내는 환한 빛으로 채워져 있었다. 그는 무수한 쥐구멍과 징두리판벽의 금이며 틈새에서 쥐들의 눈알을 보았다. 순전히 물리적인 그 모습은 그에게 위로의 빛을 선사했다. 주위를 둘러보던 그는 커다란 비상종의 종끈에 쥐들이 득시글거리는 것을 발견했다. 쥐들이 다닥다닥 종끈을 뒤덮고 있었다. 게다가 더욱더 많은 쥐들이 천장의 작은 구멍을 통해 쏟아져 나왔고, 그 무게 때문에 종이 흔들리기 시작했다.

들어라! 종의 추가 몸통에 닿을 때까지 흔들렸다. 소리는 작았으나 종이 이제 막 흔들리기 시작한 터라 더 커질 것이었다.

종소리를 들은 판사가 맬컴슨에게 고정하고 있던 시선을 들어 위를 쳐다보더니 극악한 분노로 험악한 표정을 지었다. 두 눈은 달아오른 석탄처럼 이글거렸다. 그가 발을 구르니 집이 흔들리는 듯한 소리가 났다. 그가 다시 밧줄을 들어 올리자 위쪽에서 무시무시한 천둥소리가 울렸고, 쥐들은 촌각을 다투듯 종끈을 줄기차게 오르내렸다. 판사가 이번에는 올가미를 던지는 대신에 자신의 희생양에게 바투 다가가면서 올가미를 벌렸다. 그가 가까이 다가서는 동안, 그라는 존재 자체에서 상대를 마비시키는 무엇인가가 있는 것 같았다. 맬컴슨은 시체처럼 뻣뻣하게 서 있었다. 그의 목에 올가미를 걸때 판사의 차가운 손가락들이 목에 닿는 것이 느껴졌다. 올가미가 팽팽하게 죄어들고 또 죄어들었다. 이윽고 판사는 학생의 뻣뻣한 몸을 안아 들고서 오크 의자까지 옮기고는 그 위에 세웠다. 그 옆에 올라선 판사는 손을 들어 흔들리던 비상종의 종끈 끄트머리를 붙잡았다. 그가 손을 들어 올릴 때 쥐들은 찍찍거리며 줄행랑을 놓더니 천장의 구멍 속으로 사라졌다. 그는 맬컴슨의 목에 씌운 올가미의 끝을 잡고서 늘어진 종끈과 묶고는 내려가서 의자를 치웠다.

* * *

판사의 집 비상종이 울리기 시작하자 곧 사람들이 모여들었다. 여러 종류의 등불과 횃불이 등장했고, 얼마 지나지 않아서 침묵의 군중이 현장으로 발길을 서두르고 있었다. 그들은 요란하게 문을 두드렸지만 아무 반응도 없었다. 그래서 문을 부순 사람들이 커다란 식당으로 쏟아져 들어갔는데, 의사 선생이 그 선두에 있었다.

커다란 비상종의 종끈 끝에 학생의 시체가 매달려 있었

다. 그리고 초상화의 판사 얼굴에 악랄한 미소가 번져 있었다.

The Squaw
스쿼

당시만 해도 뉘른베르크는 제대로 개발되지 않았다. 어빙이 『파우스트』를 상연하기 전이었고, 이 옛 도시의 이름조차 대다수의 여행객에게 거의 알려져 있지 않았다. 신혼여행의 둘째 주를 보내던 아내와 내가 일행이라도 있었으면 하던 차에 네브래스카 주 메이플 트리 카운티, 블리딩 걸치, 이스미언 시 출신의 쾌활한 외국인 일라이어스 P. 허치슨이 프랑크포트 역에 나타났다. 그가 유럽에서 가장 나이 많은 므두셀라(노아의 홍수 이전의 족장으로서 969세까지 산 장수자, 장수하는 사람을 가리킨다—옮긴이)를 보러가는 길이라고 너스레를 떨며, 홀로 여행을 얼마나 많이 했던지 똑똑하고 활달한 시민이 음울한 정신병동에 갈 정도라고 말했을 때, 우리는 그 노골적인 암시를 알아채고 동행하면 어떠냐고 제안했다. 나중에 서로 의견을 나누다가 알게 됐는데, 당시 우리 부부는 그와의 동행을 너무 간절해 보이지 않게, 우리 결혼 생활의 성공에 그리 득이 되진 않는다는 듯이 짐짓 저어하고 망설이면서 말하려고 했었다. 그런데 우리 부부는 동시에 말을 시작했다가 동시에 멈추고 또 동시에 말을 다시 시작하는 바람에 원했던 효과를 망쳤다. 어쨌든 발단은 그랬다. 일라이어스 P. 허치슨이 우리와 일행이 된 것이었다. 곧바로 아멜리아와 나는 유쾌한 이점을 발견해냈다. 그때까지 계속 해온 말다툼 대신, 제삼자의 눈치를 보고 행동을 조심해야하는 상황 때문에 오히려 매번 기회만 생기면 구석자리에서 서로를 애무했다. 아멜리아는 그때의 경험을 바탕으로 주변 친구들에게 신혼여행 때 친구 한 명을 데려가라고 조언하곤 했다. 아무튼 우리는 뉘른베르크에서 "친구와 함께했고", 대서양을 건너온 그 친구의 팔팔한 입담에 무척 즐거워했는데, 그의 독특한 말투와 놀라운 모험담은 소설에서 따온 것 같았다. 우리는 마지막까지 그 도시의 성을 방문하기로 한 계획을 잊지 않았고, 약속 날짜에 동쪽으로 도시의 외부 성벽을 돌아 유유히 걸어갔다.

도시를 내려다보는 암반에 자리 잡은 성은 북쪽으로 굉장히 깊은 해자(垓字)의 호위를 받고 있었다. 뉘른베르크가 단 한 차례의 침략도 겪지 않고 평화를 구가해온 이유였다. 침략을 받았다면, 지금처럼 깨끗하고 완벽한 지세로 남지 못했을 것이다. 수 세기 동안 사용된 적이 없는 수로의 바닥에는 차밭과 과수원이 펼쳐져 있었고, 그 중에는 아주 근사하게 자란 수목

들도 눈에 띄었다. 뜨거운 7월의 태양 아래 빈둥거리며 성벽을 따라 걷다가 눈앞의 경치에 탄성을 자아내며 멈춰서기를 여러 번, 특히 클로드 로랭(17세기 프랑스의 풍경화가—옮긴이)의 풍경화처럼 언덕의 푸른 능선으로 둘러싸인 도시와 마을이 펼쳐진, 거대한 평원이 돋보였다. 지붕창으로 수놓인 붉은 지붕과 예스러운 박공들이 무수히 층을 이루고 있는 도시 자체는 어디를 봐도 새록새록 즐거움을 주었다. 오른쪽으로 멀지 않은 곳에 성의 망루들이 솟아 있었고, 더 가까운 곳에 보이는 고문 탑은 아마도 그 도시에서 가장 흥미로운 장소일지 몰랐다. 인간의 잔혹성이 주는 공포의 한 예로서 뉘른베르크의 '철의 처녀'라는 전통이 수 세기 동안 전해 오고 있다.(가장 끔찍한 고문 도구 중 하나라고 전해지는데, 뉘른베르크의 한 지하실에서 그 원형이 만들어졌기 때문에 '뉘른베르크의 처녀'라고도 함—옮긴이) 우리가 오래전부터 보고 싶어 했던 고문도구였다. 바로 그것의 고향에 당도한 셈이었다.

쉬는 중간에 우리는 해자의 벽에 기대어 아래를 보았다. 15미터에서 20미터쯤 아래의 차밭에 태양은 화덕의 불씨처럼 강렬하면서도 정체된 열기를 퍼붓고 있었다. 저 멀리 끝없는 높이로 솟구친 회색의 음산한 성벽은 좌우의 능보와 해자의 벽에 모습을 숨기기도 했다. 벽 위로 나무와 덤불들이 덮여 있고, 다시 그 너머로 높이 솟구친 집들은 세월도 인정할 수밖에 없는 웅장미를 간직하고 있었다. 태양은 뜨거웠고 우리는 나른했다. 급할 것 없는 시간, 우리는 벽에 기대어 어슬렁거렸다. 우리 아래 기분 좋은 광경이 보였는데, 커다란 검은 고양이가 햇살 아래 누워 있었고, 새끼 고양이가 앙증맞게 그 곁을 뛰놀며 장난을 쳤다. 어미 고양이는 꼬리를 흔들어 새끼의 응석을 받아주다가 앞발로 밀치며 장난을 걸기도 했다. 고양이들은 성벽 맨 아랫부분에 있었고, 일라이어스 P. 허치슨은 고양이들의 놀이를 거들어줄 심산으로 몸을 숙이고 보도에서 적당한 크기의 돌멩이 하나를 집어 들었다.

"보시오!" 그가 말했다. "새끼 고양이 근처에 돌을 떨어뜨리면 어디서 왔을까 하고 녀석들이 궁금해 할 거요."

"어머, 조심해요." 내 아내가 말했다. "저렇게 어린 고양이를 맞히면 안 돼요!"

"맞히지 않아요, 부인." 일라이어스 P.가 말했다. "이래봬도, 메인 주의 벚나무처럼 부드러운 남자라오. 참, 인정도 많으셔라. 갓난아기의 머리를 깎는 것보다 더 조심해서 새끼 고양이 털끝 하나 다치지 않을 테니까 걱정 말아요. 알록달록한 부인의 양말을 걸고 내기를 해도 좋아요! 잘 보시오, 고양이한테서 먼 쪽에 떨어뜨릴 테니까!" 그렇게 말한 뒤, 그는 팔을 쭉 뻗고 돌멩이를 떨어뜨렸다. 작은 문제를 큰 문제로 끌어당기는 힘이 있나보다. 아니면 바닥까지 수직이 아니라 경사가 져 있는데 위에서 내려다본 우리가 그 곡선을 알아채지 못했는지도 모르겠다. 뜨거운 공기 중에 퍽 하는 메스꺼운 소리와 함께 돌멩이는 새끼 고양이의 머리에 정통으로 떨어졌고, 조그만 골이 여기저기 흩어졌다. 검은 고양이는 재빨리 위를 보았다. 우리는 고양이의 눈알이 녹색 불꽃처럼 일라이어스 P. 허치슨에게 향해지는 것을 보았다. 고양이의 눈은 이내 새끼 쪽으로 옮겨졌다. 여전히 작은 팔다리를 떨고 있던 새끼 고양이의 벌어진 상처에서 가는 핏줄기가 새어나왔다. 어미 고양이는 사람의 목소리처럼 억눌린 비명을 지르더니 새끼의 상처를 핥으며 구슬피 울기 시작했다. 갑자기 새끼가 죽은 것을 깨달았는지, 고양이는 우리를 올려다보았다. 증오의 완벽한 화신 같던 그 표정, 나는 그 모습을 도저히 잊을 수 없을 것이다. 고양이의 녹색 눈이 타오르는 불꽃처럼 번뜩였고, 입가와 수염에 묻은 붉은 핏줄기 사이에서 희고 날카로운 이빨이 번뜩였다. 고양이는 이를 갈면서 빳빳하게 발톱을 세웠다. 그러고는 우리에게 돌진하듯 무섭게 벽으로 뛰어올랐지만, 곧바로 다시 떨어지고 말았다. 그런데 하필 떨어진 곳이 새끼 고양이의 몸뚱이여서 검은 털이 흩어진 골과 피로 얼룩진 어미 고양이의 모습은 더욱 흉물스러웠다. 아멜리아가 기절할 것처럼 돌아서는 바람에 나는 그녀의 등을 받쳐 성벽에서 물러나야 했다. 플라타너스 그늘 가까이로 그녀를 데려가 진정되기를 기다렸다. 허치슨에게 돌아갔을 때, 그는 꼼짝 없이 그 자리에 서서 성난 고양이를 내려다보고 있었다.

내가 곁으로 다가가자 그가 말했다.

"어이구, 저렇게 표독스러운 짐승은 처음 봐요. 예전에 아파치족의 한 스쿼*가 '스플린터스'라는 별명으로 통하던 어느 혼혈인한테 원한을 품었을 때 말고는. 그 혼혈인은, 아파치족이 자기 어머니한테 불 고문을 한 것에 보복하려고 몰래 그 아파치족 스쿼의 갓난아기를 납치해서 죽였거든. 아기를 잃은 스쿼의 얼굴 표정이 정말 섬뜩했는데, 그 표정이 얼굴에 붙어서 저절로 더 지독해지는 것 같았소. 그 여자는 3년간 스플린터스를 따라다녔고, 마침내 아파치 전사들이 그 혼혈인을 붙잡아서 그녀에게 넘겨주었소. 백인과 인디언을 통틀어서 그 혼혈인이 죽기 전까지 아파치의 고문을 가장 긴 시간 동안 받았다는 말이 파다했소. 내가 그 스쿼의 얼굴에서 유일하게 미소를 본 적이 있다면, 그 여자가 내 손에 죽던 순간이었을 거요. 내가 아파치 캠프에 진입했을 때 마침 스플린터스가 죽는 걸 봤소. 그 혼혈인은 죽는 걸 아쉬워하지 않더군요. 그자가 스쿼의 갓난아기에게 한 짓이 지독했기 때문에 그 사건 이후로 내가 그자와 악수 한번 한 적은 없지만 그래도 그자는 엄연한 시민이었소. 그자는 백인처럼 생겼으니 그렇게 대해야했겠지만, 아무튼 자신이 저지른 짓의 대가를 톡톡히 치른 셈이었소. 휴우, 그래도 난 그 혼혈인을 매달아 살가죽을 벗긴 기둥에서 그의 살점 몇 개를 가져와서 지갑을 만들었소. 바로 여기 있소이다!" 그는 외투의 가슴주머니를 툭 쳤다. (*스쿼: 북아메리카 원주민 여자를 일컫는 말. 인디언의 속어로 여성의 생식기를 가리킨다고 한다. 이 말에 대해 원주민들이 모욕감과 인종 차별을 느끼기 때문에 스쿼가 들어간 미국의 여러 지명이 바뀌는 등, 원주민들의 투쟁이 계속되고 있다고 한다—옮긴이)

그가 말하는 동안에도, 고양이는 줄기차게 벽을 기어오르려고 날뛰고 있었다. 뒤로 달려갔다가 뛰어올랐는데, 이따금씩 엄청난 높이까지 닿을 때도 있었다. 매번 떨어질 때의 강한 충격에도 아랑곳없이 새로운 힘으로 똑같은 과정을 되풀이했다. 굴러 떨어질 때마다 표정도 점점 오싹해졌다. 다정다감한 성격의 허치슨은—나와 아내는 사람이든 동물이든 사소하지만 다정하게 대하는 그를 눈여겨봤기에—고양이의 격분에 심란한 모양이었다.

"어이구, 저런!" 그가 말했다. "저 가여운 짐승이 필사적인 것 같군요. 저런! 저런! 가여운 것, 정말 일부러 그런 게 아니란다. 그렇다고 네게 새끼를 돌려줄 수 없다만. 정말이야! 이렇게 될 줄 꿈에도 몰랐어! 멍청한 장난을 치려다가 엄한 짓을 했구나! 손 하나 제대로 놀리지 못해서 고양이와 장난도 못 치나 보다! 저, 대령!" 이것은 그가 자기 맘대로 직함을 부여하는 유쾌한 방식이었다. "이번 일로 부인이 나를 질색하지 않겠소? 허허, 어쩌다가 이런 일이 벌어졌는지, 원."

그는 아멜리아에게 다가와 진심으로 사과했다. 심성이 고운 그녀는 실수였음을 잘 안다며 서둘러 그를 안심시켰다. 이윽고 우리는 성벽으로 돌아와 주위를 둘러보았다.

허치슨의 얼굴이 나타나기를 기다리던 고양이가 해자를 가로질러 뒤로 물러서더니 곧 뛰어오를 태세로 몸을 웅크렸다. 고양이는 순식간에 뛰어올랐다. 그 맹목적인 분노는 기괴할 뿐 아니라 오싹할 정도로 생생했다. 그러나 이번에는 벽을 기어오르는 대신, 허치슨을 향해 제자리에서 펄쩍펄쩍 뛰기만 했다. 마치 증오와 격분으로 날개가 돋아 그 높은 거리를 똑바로 날아오르기라도 할 듯이 말이다. 여성스러운 아멜리아는 몹시 격정이 되는지, 조심하라는 말투로 허치슨에게 말했다.

"어머! 조심하셔야겠어요. 고양이가 여기 있었다면 당신을 죽이려고 들었을 거예요. 고양이의 눈이 영락없는 살인자예요."

그는 기분 좋게 웃었다. "미안합니다, 부인." 그가 말했다. "하지만 웃음이 나오는 걸 어쩔 수 없군요. 이래봬도, 커다란 회색 곰은 물론 인디언들과도 싸운 몸인데 고양이 한 마리한테 죽을까봐 조심하라뇨!"

그의 웃음을 듣고 난 순간부터 고양이의 행동에 변화가 생긴 것 같았다. 제자리에서 뛰어오르거나 벽을 기어오르지 않고 죽은 새끼 곁에 가만히 앉아서, 살아 있는 것을 대하듯 핥고 어루만졌다.

"봐요!" 내가 말했다. "아주 강한 분이라 효과가 있네요. 성난 짐승일망정 주인의 목소리를 알아듣고 고분고분해지니 말입니다!"

"스쿼처럼!" 그것은 해자 쪽으로 발길을 돌리면서 일라이어스 P. 허치슨이 한 유일한 말이었다. 이따금씩 성벽 아래를 내려다볼 때마다 고양이가 우리를 따라오고 있었다. 처음에는 죽은 새끼에게 되돌아갔다가 오기를 되풀이하다가 점점 거리가 멀어지자, 새끼를 입에 물고 우리를 따라오기 시작했다. 그러나 얼마 후에 봤을 때는 새끼를 포기했는지 혼자였다. 죽은 새끼를 어딘가에 숨겨놓은 것이 틀림없었다. 고양이의 집요함에 점점 불안해진 아멜리아가 몇 번 더 조심하라는 말을 되뇌었다. 그러나 그때마다 미국인은 호탕하게 웃었고, 급기야 아멜리아가 걱정하는 것을 알아채고 이렇게 말했다.

"고양이는 걱정 말라고 말씀드렸잖소, 부인. 조심하고말고요!" 그는 권총을 넣은 허리 뒤쪽의 호주머니를 툭 쳤다. "정 그렇게 걱정이 되시면, 지금 당장 녀석을 쏘아버리겠소. 미국 시민으로서 불법으로 무기를 소지했다고 경찰의 심문을 받는 것쯤이야 감수하면 되는 일!" 그가 말하면서 성벽 밑을 바라보았을 때, 줄곧 그를 주시하던 고양이는 그르렁거리며 뒤로 물러서더니 무성한 화단 속으로 모습을 감추었다. 그는 계속 말했다. "지금 녀석은 어떤 기독교인보다 깊은 동정을 받고 있는 거요. 이제 나타나지 않을 겁니다! 장담하는데, 죽은 새끼한테 돌아가서 혼자 장례식을 치를걸요!"

아멜리아는 자칫 자기를 위한다는 생각으로 그가 정말 고양이에게 총을 쏠까봐 더는 말을 하지 않았다. 우리는 계속 걷다가 관문까지 펼쳐진 작은 나무다리를 건넜는데, 성과 오각형의 고문 탑 사이로 난 가파른 포장도로가 관문에서 시작되었다. 다리를 건널 때 보니, 밑에 고양이가 나타나 있었다. 우리를 보고 다시 격분했는지, 고양이가 가파른 벽을 뛰어오르려고 날뛰기 시작했다. 고양이를 내려다보던 허치슨이 껄껄 웃고서 말했다.

"어이, 잘 있어라. 마음을 상하게 해서 미안하구나. 하지만 시간이 지나면 괜찮아질 거야! 그럼, 잘 있어!" 우리는 길고 음침한 아치 길을 지나 성의 관문에 다다랐다.

40년 전 좋은 의도를 지닌—당시 순수한 열정으로 복원에

임했던—고딕 양식 복원자들도 손대지 못한, 예스럽고 아름다운 성의 외곽으로 다시 빠져나왔을 때, 우리는 이미 아침나절의 불쾌한 사건을 까맣게 잊어버린 느낌이었다. 족히 900년 동안 비틀어진 거대한 줄기로 서 있는 참피나무, 세월의 풍파에 깊숙이 파인 암반의 중심, 성벽의 아름다운 풍경을 대하면서 우리는 15분 정도 도시의 온갖 달콤한 재잘거림에 귀 기울였고, 새끼 고양이의 죽음을 마음에서 떨쳐버릴 수 있었다.

그날 오전에 고문 탑에 들어간 방문객은 우리밖에 없었기에—적어도 늙은 관리인의 말에 따르면—다른 때라면 불가능했을 정도로 곳곳을 자세히 음미하며 구경할 수 있었다. 하루 품삯을 벌어들일 만한 손님은 우리뿐이라, 관리인은 우리의 요구를 기꺼이 들어주려고 했다. 숱한 관광객들이 가져온 생명의 줄기와 삶의 기쁨을 이곳에 불어넣었을 터인데, 고문 탑은 여전히 음산하기만 했다. 게다가 내가 말하는 당시에는 어느 때보다 음산하고 기괴한 분위기를 자아내고 있었다. 세월의 먼지가 내려앉은 그곳에서 필론이나 스피노자의 범신론에 부응할 만한 기억의 공포와 어둠은 쉬이 잠들지 않는 것 같았다. 언뜻 이상할 것 없는 1층에도 어둠의 실체가 가득했다. 문으로 파고든 뜨거운 햇살마저 두꺼운 벽 속에서 길을 잃었고, 건축 초창기처럼 거친 석조물의 일부를 비출 뿐이었다. 그러나 먼지에 뒤덮인 벽면 곳곳에 검은 얼룩이 남아 있었다. 벽에 입이 있다면, 공포와 고통의 끔찍한 기억들을 직접 말해줄 것만 같았다. 먼지 낀 나무 계단을 올라갈 때는 기분이 좋았다. 관리인이 열어둔 문으로 들어온 햇빛이 어느 정도 계단을 밝혀주었기 때문이다. 벽면의 촛대에서 기분 나쁜 냄새를 풍기는 촛불은 사악한 느낌이 들 뿐, 우리 눈에 넉넉한 빛을 주지는 못했다. 우리가 한쪽 구석에 나 있는 뚜껑 문을 통해 위로 올라갔을 때, 아멜리아가 내게 착 달라붙는 바람에 그녀의 심장소리까지 들을 수 있었다. 그곳은 아래층보다 훨씬 더 소름이 끼쳐서 그녀의 두려움에 공감할 수 있었다. 군데군데 촛불이 더 많았지만, 그곳의 오싹한 광경을 알아채는 데 촛불 하나면 충분했다. 탑의 건축가들은 꼭대기까지 올라갈 수 있는 사람만이 빛과 전망의 기쁨을 느끼도록 설계했음이 분명했다. 아래층에서 이미 눈치 챈 대로, 중세풍의 작은 크기기는 해도 맨 위층에는 창문들이 있는 반면, 탑의 다른 곳에는 중세의 요새처럼 아주 좁다란 홈 몇 개가 고작이었다. 홈으로 새어든 불빛만이 실내를 밝혔고, 홈이 높은 곳에 나 있어서 어느 위치에서도 두터운 벽면 사이로 하늘을 볼 수는 없었다. 선반에 올려놓았거나 벽면에 비뚤비뚤 기대어놓은 것들은, 사형집행인의 무수한 칼과 커다란 양손잡이 무기들인데 칼날이 넓고 예리했다. 희생자의 목이 놓였던 몇 개의 딱딱한 단두대는 살을 뚫고 나무까지 파고든 칼날에 군데군데 깊숙이 금이 새겨져 있었다. 뒤죽박죽 방을 에워싼 상당수의 고문 도구—대못이 가득 박혀 있어서 즉각적이고 격심한 고통을 주는 의자, 뭉뚝한 혹으로 고통이 덜해 보이지만 더디면서도 효과 면에서 차이가 없는 침상—들은 보기만 해도 가슴을 후벼 팠다. 그 밖에 고문대와 벨트, 장화와 장갑, 마구 따위도 전부 인간의 의지를 움츠러들게 하는 수단이었다. 필요하다면, 철통 안에 머리를 집어넣고 서서히 으깸으로써 즙을 낼 수도 있었고, 손잡이가 긴 감시인의 갈고리와 칼은 저항의지를 잠재웠다. 그것이 뉘른베르크의 옛 경찰제도에 갖춰진 전문성이었다. 그밖에도 수많은 장치들이, 사람이 같은 사람을 해하는 데 사용되었다. 아멜리아는 소름끼치는 도구들 앞에서 점점 창백해졌지만, 다행히 기절은 하지 않았다. 약간 진정이 되었는지 고문의자에 앉아보기도 했다. 그러나 비명을 지르며 벌떡 일어났는데, 기절하기 직전이었다. 우리 두 사람은 그저 의자의 먼지 때문에 그녀의 옷이 더러워지고 녹슨 대못이 불쾌해서라고 애써 생각했다. 허치슨 씨는 넉넉한 웃음으로 우리의 변명을 묵인해주었다.

그러나 방 안의 무시무시한 도구 중에서 중심은 단연 '철의 처녀'였다. 그것은 방 한복판쯤에 세워져 있었다. 여성의 몸을 대충 본 땄고, 가까이 살펴보면 방주의 노아 부인과 닮기도 했지만, 노아 가족의 미적인 특징을 이루는 잘록한 허리와 둔부의 완벽한 곡선미는 찾아볼 수 없었다. 설계자가 앞부분을 여성의 얼굴과 투박하게나마 비슷하게 만들지 않았더라면 사람의 형체를 본 딴 것이라고 생각하기도 어려웠을 정도였다. 기계는 녹슬고 먼지로 덮여 있었다. 정면의 허리 부근에 고리가 있고, 거기에 묶인 밧줄은 위층을 지탱하는 나무 기둥에 연결되어 있었다. 관리인이 밧줄을 잡아당기자, 정면의 일부가 문처럼 한쪽으로 열렸다. 그래서 우리는 안쪽에 사람 한 명이 들어갈 만한 공간이 있고, 기계 자체가 매우 견고하다는 것을 발견했다. 관리인이 문을 활짝 열기 위해 있는 힘을 다하는 것으로 봐서 문짝도 꽤 두껍고 육중했다. 밧줄을 잡아당기는 힘이 약해지면 저절로 닫히도록 아래쪽이 무겁게 만들어져 있는 것도 문이 무거운 이유의 하나였다. 내부는 온통 녹이 슬어 있었다. 그런데 녹 자체만으로는 오랜 세월에 걸쳐 철벽을 그처럼 깊이 침투하기는 어려웠다. 훨씬 깊숙이 파고든 것은 잔인한 얼룩의 녹이었다! 그러나 그 기계의 극악무도한 목적이 확연해진 것은, 우리가 문의 안쪽을 살펴본 후였다. 문 안쪽 면에 여러 개 박혀 있는 정사각형의 크고 기다란 대못은 시작 부분이 넓고 끝은 뾰족했다. 그 위치로 봐서 문이 닫혔을 때 위쪽의 대못들은 희생자의 눈을 찌르고, 아래쪽의 것들은 심장과 중요 장기들을 꿰뚫게 되어 있었다. 충격을 받은 아멜리아가 이번에는 그 자리에서 실신을 하는 바람에 나는 그녀를 데리고 계단을 내려가 정신을 차릴 때까지 바깥 벤치에 눕혀야 했다. 그때의 충격이 얼마나 골수에 사무쳤던가는, 그 후에 태어난 우리의 큰아들이 지금까지도 가슴에 거친 모반을 지니고 있는 것으로도 여실히 입증되었다. 그것이 뉘른베르크의 처녀를 상징한다는데 우리 가족은 이견이 없었다.

우리가 그곳에 돌아갔을 때, 허치슨은 여전히 철의 처녀 앞에 있었다. 줄곧 사색에 잠겨 있었던 모양이어서 우리에게 자신의 생각을 전하기에 적절한 분위기였다.

"흠, 부인이 정신을 수습하는 동안, 내가 '뭔가'를 알아냈다는 생각이 듭니다. 사람들이 술독에 빠져 지내느라 오히려 시대에 뒤쳐졌다는 느낌말이오. 평원에 나가 있을 때는 인디언들의 방식이 사람을 불편하게 만든다고 생각했소. 하지만 여러분 나라의 낡은 중세적 법 체제는 인디언마저 언제든 몰아붙일 만 해요. 스플린터스는 스쿼에게 꽤 악독하게 굴었지만, 여기 젊은 여성 앞에서였다면 그자는 자기의 악행보다 훨씬 더한 극한을 경험했을 거요. 가장자리는 녹이 슬었음에도 대못의 예리함은 여전하군요. 이런 장난감 견본을 가져다가 우리나라의 인디언 보호구역 견학에 이용하여 단순히 돈벌이를 하거나 구시대의 문명이 기껏 무슨 짓을 했는지 보여주거나 하면 인디언 사회뿐 아니라 스쿼들에게도 좋겠군요. 하지만 잠깐만 저 안에 들어가 어떤 기분일지 느껴보고 싶소!"

"아, 안 돼요! 안 돼!" 아멜리아가 말했다. "그런 끔찍한 짓을!"

"부인, 탐험가한테 끔찍한 것이란 없소. 한창 때는 기이한 곳들을 돌아다녔지요. 몬태나에서 도적들이 휩쓸 때는 죽은 말 속에 들어가 하루를 보내기도 했다오. 또 언젠가 코만치가 전쟁을 할 땐 죽은 버펄로 안에서 잠을 자면서도 불안하지 않았소. 뉴멕시코의 빌리 브롱코 금광에 있는 함몰된 갱도에서 이틀을 보낸 적도 있고, 버펄로 브리지의 토대 공사를 할 때는 무너진 콘크리트 구조물 속에서 18시간 동안 갇혔던 네 명중에 하나가 나였소. 지금까지 이상한 일을 겪었다고 움츠러든 적은 없었소. 지금도 마찬가지요!"

그는 기어코 그 실험을 감행할 태세이기에 내가 말했다. "그럼, 서두르세요. 빨리 끝낼 거죠?"

"알았소, 장군." 그가 말했다. "하지만 아직 준비가 제대로 된 것 같지가 않소. 우리 미국인 조상들은 아마 저 철통의 정체가 뭐든 자발적으로 이런 짓은 하지 않을 거요. 절대! 한바탕 일을 치르기 전에 채비를 단단히 해야 하지 않겠소. 이 요물 속에 멋지고 번듯하게 들어가고 싶소. 그러니 처음부터 제대로 준비를 해야 해요. 저기 얼치기 노인장이 본때를 보여주려고 줄을 놓아버려 나를 가둘지 어찌 알겠소?"

그는 정말 그럴 거냐고 묻듯이 관리인을 바라보았다. 늙은 관리인은 그의 장광설과 표현을 정확히 알아듣지는 못해도 대충은 이해했는지 고개를 저었다. 그러나 항변치고는 형식적이고 소극적이었다. 미국인은 관리인의 손에 금화를 쥐어주면서 말했다. "받아요, 친구! 당신 몫이오. 그리고 내 말, 마음에 두지 마시오. 내가 댁한테 사람 죽이는 걸 도와달라는 게 아니니까!" 관리인은 닳아빠진 밧줄로 미국인 동료를 목적에 맞게 꽉 묶었다. 상체가 밧줄에 묶이자, 허치슨이 말했다.

"잠깐만, 판관 나리. 내 생각에는 댁이 저 통 속으로 밀어 넣기엔 내가 너무 무거울 것 같소. 내가 걸어 들어갈 테니까, 나중에 내 발이나 잘 묶어주시오."

그렇게 말하면서 그는 뒷걸음질로 기계 안에 들어갔다. 자로 잰 듯 그의 몸피와 출구의 크기가 딱 맞았다. 아멜리아는 겁에 질린 눈으로 그 광경을 지켜보았지만, 아무 말도 하고 싶지 않은 눈치였다. 관리인은 미국인의 발을 묶음으로써 스스로 원한 감옥에 꼼짝없이 갇히도록 일을 마무리했다. 허치슨은 정말 즐거운 듯 보였고, 습관적인 옅은 미소는 환하게 바뀌어 있었다. 그가 말했다.

"요놈의 이브는 난쟁이의 갈비뼈로 만들었나 보군! 다 큰 미국시민은 몸을 옴짝거리기도 힘들만큼 비좁네 그려. 아이다호에서는 관을 짤 때 넉넉하게 짜거든. 자, 판관 나리, 내 쪽으로 천천히 문을 닫아주면 되겠소. 대못이 눈 쪽으로 다가올 때 얼간이들이 맛본 쾌감이 어땠을지 나도 한번 만끽해보고 싶소!"

"어머나, 안 돼요! 안 돼! 안 돼!" 몹시 흥분한 아멜리아가 갑자기 소리쳤다. "너무 끔찍해요! 차마 볼 수가 없어요! 난 못해요! 못해!"

그러나 미국인의 고집도 어지간했다. "이봐요, 대령." 그가 말했다. "부인을 모시고 산책이라도 다녀오지 그래요? 부인의 마음을 털끝 하나 다치게 하고 싶지 않소. 하지만 미국에서 13,000킬로미터나 왔는데, 이토록 짜릿한 경험을 포기하라니 너무 가혹한 일이 아니겠소? 사람이 통조림이 되는 기분을 언제 또 느껴보겠소! 나와 판관 나리가 여기서 일을 속히 끝낼 테니까, 산책하고 돌아와서 다 같이 한바탕 웃어봅시다!"

타고난 호기심 때문에 한 번 더 마음을 다잡은 아멜리아는 내 팔을 꽉 잡은 채 온몸을 떨었고, 그동안 관리인은 쇠문을 지탱하는 밧줄을 조금씩 천천히 풀기 시작했다. 대못의 첫 움직임을 눈으로 좇던 허치슨의 얼굴이 환하게 빛났다.

"음!" 그가 말했다. "뉴욕을 떠난 이후 이처럼 짜릿한 기분은 처음인 것 같소. 영국의 와핑에서 프랑스 선원과 한판 싸운 일 빼고는 말이오. 신나는 일이 거의 없었어요. 그런데 괜찮은 술집도 인디언도 없고, 남자가 갈 만한 곳이라곤 한 군데도 없는 이 썩은 대륙에서 이렇게 기막힌 쇼를 경험하게 되다니 말이오. 어어, 천천히, 판관 나리! 너무 서두르지 마시오! 돈이 아깝지 않을 정도로 쇼를 즐기고 싶소. 암, 그래야지!"

관리인은 그 오싹한 탑에서 살다간 조상의 피를 물려받았음이 틀림없었다. 어찌나 신중하면서도 고통스러울 정도로 천천히 기계를 다루던지, 5분이 지났을 때에도 쇠문은 반도 채 닫히지 않았고, 그것이 결국 아멜리아를 못 견디게 만들었다. 그녀의 입술은 하얗게 질렸고, 내 팔을 붙잡은 손에서 힘이 빠졌다. 그녀를 쉬게 할 만한 곳이 없을까 다급히 주위를 두리번거리다가 다시 그녀를 바라보았을 때, 그녀의 눈길이 뉘른베르크 처녀의 옆쪽에 못 박혀 있었다. 그쪽을 쳐다보니, 시선이 닿지 않는 곳에 검은 고양이가 웅크리고 있었다. 고양이의 녹색 눈은 어둠 속에서 위험한 등잔처럼 빛났고, 그때까지도 털과 입가에 얼룩진 붉은 피 때문에 눈빛이 더욱 도드라져 보였다. 나는 소리쳤다.

"고양이! 저 고양이를 봐요!" 그 순간 고양이가 기계 앞으로 튀어나왔다. 의기양양한 악마의 표정이 따로 없었다. 사납게 이글거리는 눈동자, 원래의 크기로 돌아올 때까지 잔뜩 곤추선

털. 싸움 직전의 호랑이처럼 고양이는 꼬리를 거세게 흔들고 있었다. 고양이를 본 일리아스 P. 허치슨은 흉겨운 표정을 짓고 장난기로 눈을 반짝이며 말했다.

"오라, 저놈의 스쿼가 온몸에 출진 물감을 바른 게 아닌가! 나한테 수작을 부릴 것 같으면 그냥 쫓아버리시오. 나는 판관 나리한테 영원히 묶인 몸이고, 저것이 내 눈을 노릴지 모르니까! 어어 천천히, 판관 나리! 밧줄을 천천히 풀어요. 아니면 나를 죽일 셈이오!"

그 순간 아멜리아는 정신을 잃었고, 내가 그녀의 허리를 감싸 안지 않았다면 바닥에 쓰러졌을 것이다. 그런데 그녀를 부축하는 동안 웅크렸던 고양이가 갑자기 뛰어올랐다.

그러나 오싹한 울음을 토한 고양이가 몸을 던진 방향은 허치슨이 아니라 관리인의 얼굴 쪽이었다. 고양이는 중국의 그림에서 나옴직한 광포한 용처럼 난폭하게 발톱을 휘둘렀다. 전광석화처럼 고양이의 발톱은 관리인의 한쪽 눈으로 날아들었다가 뺨을 할퀴며 지나갔다. 관리인의 얼굴에 붉은 줄이 그어졌고, 혈관이 전부 터져버린 듯 핏줄기가 솟았다.

고통보다 앞선 완전한 공포로 인해 관리인은 비명을 지르며 뒤로 물러섰고, 그 과정에서 붙잡고 있던 쇠문의 밧줄을 놓치고 말았다. 나는 밧줄을 향해 뛰어들었지만, 이미 늦은 후였다. 밧줄은 빛의 속도로 풀리기 시작했고, 쇠문은 육중한 무게로 인해 그대로 닫히고 말았다.

문이 닫히는 순간, 나는 언뜻 스쳐가는 미국인의 가여운 얼굴을 보았다. 공포로 얼어붙은 것 같았다. 얼이 빠진 것처럼 엄청난 불안에 짓눌려 눈이 휘둥그레져 있었고, 입에서는 한마디 말도 새어나오지 않았다.

게다가 대못들은 제값을 톡톡히 해냈다. 빨리 끝났다는 것이 그나마 다행이었다. 내가 힘겹게 쇠문을 열었을 때, 대못들은 허치슨의 두개골을 부수고 들어가 깊숙이 박혀 있었고, 말 그대로 그를 갈가리 찢어놓은 상황이었다. 그는 자신의 철창에서 서 있던 자세 그대로 고꾸라져 메스꺼운 소리와 함께 바닥에 부딪쳤고, 쓰러지는 과정에서 얼굴이 위쪽으로 향해졌다.

아내가 정신을 차렸을 때 그 끔찍한 광경을 보게 될 것이 두려웠기에, 나는 그녀를 데리고 밖으로 나왔다. 바깥 벤치에 그녀를 눕혀놓고 곧장 되돌아갔다. 나무 기둥에 몸을 기댄 관리인은 고통스럽게 신음하며 붉게 물든 손수건을 눈가에 대고 있었다. 그리고 고양이는 불쌍한 미국인의 머리를 깔고 앉아서 찢어진 눈구멍에서 흐르는 피를 핥고 있었다.

내가 사형집행인의 낡은 칼들 중에서 하나를 움켜잡고, 앉아 있는 그대로 고양이를 두 토막 냈다고 해서 나를 잔인하다고 말할 사람은 없을 것이다.

이 작품선에 대해

『드라큘라』의 브램 스토커는 고딕 전통에서 주목할 만한 성과를 낸 작가입니다. 사회적 통념과 관습이 중시되고 이 테두리 안에서 일상의 안전과 지속이 담보된 사회. 반면에 급속한 산업화가 가져온 분화와 격차의 어두운 이면 속에서 점잖은 엄숙주의에 억눌린 개인들의 욕망이 꿈틀거리며 부대끼는 공간. 이런 잠재적 불화와 분열은 어둠의 씨앗이 발아하기 좋은 환경입니다. 스토커는 빅토리아 시대의 이 균열을 효과적으로 파고듭니다. 그의 고딕 호러는 자신의 일상이 안전하다는 중산층의 확고한 신념과 이상을 아주 쉽사리 위협하는데요. 용기, 신념, 재력, 지력, 도덕성 등등 개인이 무엇을 얼마나 가졌든 상관이 없습니다. 어차피 사람, 짐승, 초자연적인 존재를 망라하는 고딕 빌런들이 가하는 위협에서 벗어나는데 별 도움이 되지 않으니까요.

이번 단편선에는 브램 스토커의 고딕 호러와 그 빛나는 결실을 보여주는 4편을 수록합니다.

「쥐들의 장례식」에서 영국인 화자는 사랑하는 연인이 있지만 그녀의 양친이 반대하는 바람에 일보 후퇴한 상황. 그 좌절과 착잡함을 달랠 겸 여행에 나섰는데, 묘한 풍광과 분위기에 이끌려 어쩌다가 파리의 쓰레기 매립지(또는 하치장)까지 가게 됩니다. 산업화의 암울한 그늘처럼 쌓여있는 쓰레기와 폐물 더미. 그리고 여기에 기생하여 살아가는 사람과 짐승들. 이들이 화자를 패닉 상태에 빠뜨립니다. 스토커의 많은 등장인물들은 이성적이고 담대한 척 하다가 된통 당하곤 하는데 이 단편에서도 그렇군요. 화자를 사냥하는 일단의 사람들 그리고 그들 모두를 노리는 쥐떼의 대추격전이 시작됩니다.

「드라큘라의 손님」은 원래 『드라큘라』의 도입부 즉 1장이었다가 1894년 출간 전에 삭제됐다고 알려진 단편. 브램 스토커 사후 2년이 지나서 아내 플로런스 발콤에 의해 1914년 단편집 『드라큘라의 손님』에 수록되어 출간됐다고 합니다. 이 관련성에 대해 여러 연구가 진행되어왔지만 어느 쪽인지 단언하긴 어려울 것 같습니다. 내용이 이질적이라 장편 『드라큘라』의 에피소드로 보기 어렵다는 견해도 만만찮기 때문인데요. 아무튼 1914년 단편으로 따로 출간된 이래 여러 가지 흥미로운 논쟁을 불러온 작품입니다.

이름 없는 영국인 화자는(장편에서 삭제됐다고 볼 경우에는 '조너선 하커'로 보이는) 발푸르기스의 밤에 체류 중이던 뮌헨의 한 호텔을 출발합니다. 호텔 지배인도 마부도 발푸르기스의 밤이라며 무척 조심스러워하지만 이것이 오히려 화자의 호기심을 자극합니다. 이 화자는 트란실바니아의 드라큘라 백작을 만나러 가는 길에 뮌헨에 잠시 체류 중이던 상황인데요.

가는 길에 마부가 '불경한' 자살자의 마을이라고 두려워하는 곳. 지금은 아무도 살지 않는 폐촌이라는 그곳을 두려워하자 화자는 기어코 거기에 가보겠다고 고집을 부립니다. 결국 마부를 돌려보내고 혼자 걸어서 그 마을로 향합니다. 그가 맞닥뜨린 것은 폭설과 묘지 그리고 대리석 묘 내부에 누워있는 묘령의 여인…… 잊지 마시라. 발푸르기스의 밤이 깊어간다는 것을.

「판사의 집」에서 케임브리지 대학에 재학 중인 맬컴슨은 중요한 시험을 앞두고 있습니다. 아는 사람 없는 조용한 곳에서 시험공부를 하려고 단기 임대한 어느 시골집. 고즈넉한 마을 분위기며 조용하다 못해 황량한 집까지 맬컴슨의 독특한 취향에 안성맞춤입니다. 마을 사람들이 기피하는 낡은 폐가나 마찬가지니 쥐들의 소동쯤은 참아낼 만한데 문제는 보통 쥐와 구별되는 굉장히 크고 섬뜩한 쥐 한 마리. 이 쥐의 사악한 눈알과 마주치는 상황이 반복될수록 혈기왕성하고 이성적인 맬컴슨의 동요도 커지는데…….

「스쿼」에서는 신혼여행 중인 화자가 독일 뉘른베르크에서 허치슨이라는 미국인과 만나 동행하기로 합니다. 신혼부부는 둘만의 여행이 단조로워지고 사소한 언쟁도 잦아지는 상황이라 호방하고 다정한 길동무가 생긴 것이 기쁩니다. 그런데 이 허치슨은 장난기도 많아서 성벽의 아래서 놀고 있던 두 고양이한테 돌멩이를 던지는데요. 그러나 이 장난에 새끼고양이가 처참하게 죽습니다. 새끼를 잃은 어미 고양이의 "맹목적인 분노는 기괴할 뿐 아니라 오싹할 정도로 생생"하고 집요합니다. 중세의 전설적인 고문 도구 '철의 처녀'과 스쿼(아메리카 원주민 여자)를 효과적으로 연결한 브램 스토커식 호러의 정점입니다.

2024년 6월

미스터고딕 정진영

브램 스토커 고딕 호러 단편선

고딕 문학 총서 012

초판 발행 | 2024년 7월 1일

지은이 | 브램 스토커
옮긴이 | 미스터고딕 정진영
펴낸이 | 정진영
펴낸곳 | 아라한

출판사등록 | 2010년 7월 29일 제396—2010—000096호

주　소 | 경기도 고양시 일산동구 중산동 25
전　화 | 070—7136—7477
팩　스 | 0508—917—7477
이메일 | arahanbook@naver.com

ISBN | 979-11-93264-95-9　03840